¡VALE!
* Curso de español para niños y niñas *
2
ELI
MW00487662

Índice

¡Vale! 2
de G. Gerngross, S. Peláez Santamaría, H. Puchta

Casella Postale 6 - Recanati - Italia
Tel. +39 071 750701 - Fax +39 071 977851
www.elionline.com
e-mail: info@elionline.com

Coordinación editorial: Raquel García Prieto
Ilustraciones: Elena Staiano
Proyecto gráfico y portada: Studio Oplà
Fotografía: Marka, Monina, Oliva, Olympia, Olycom

Impreso en Italia - Tecnostampa Recanati - 05.83.113.0

ISBN 88-536-0290-2

unidad preliminar

¡Nos vemos de nuevo!

1 Escucha y canta. Después colorea los bordes. 

Bienvenidos, bienvenidos,
¡Qué bien! ¡Nos vemos de nuevo!
Canta conmigo, baila conmigo,
juguemos juntos tú y yo.

Toca las palmas 1, 2, 3.
Salta alto 1, 2, 3.
Mueve los brazos y las piernas.
Dobla las rodillas 1, 2, 3
tócate los dedos de los pies 1, 2, 3.
Ahora fíjate bien,
Toca nariz con nariz.

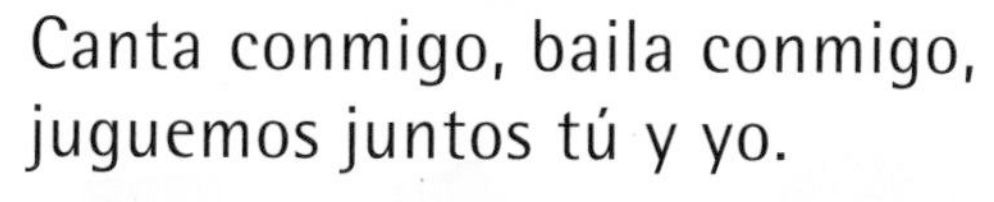

Canta conmigo, baila conmigo,
juguemos juntos tú y yo.

Bienvenidos, bienvenidos,
¡Qué bien! ¡Nos vemos de nuevo!
Mueve los brazos y las piernas,
Tócate los dedos de los pies.
Ahora, ¡nariz con nariz!

¡Nos vemos de nuevo!

2 ¿Qué dibujo no pertenece a la misma familia? Señálalo con una cruz.

3 La serpiente de palabras. Busca las palabras y rodéalas con su color correspondiente.

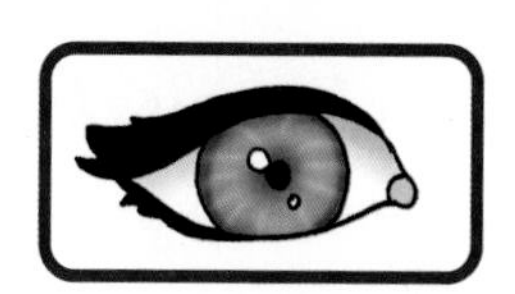

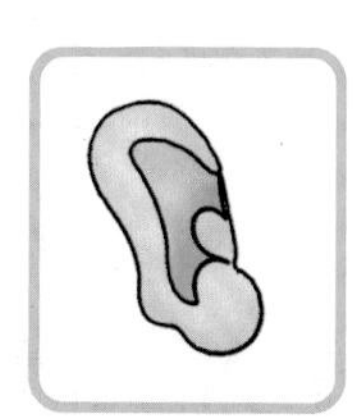

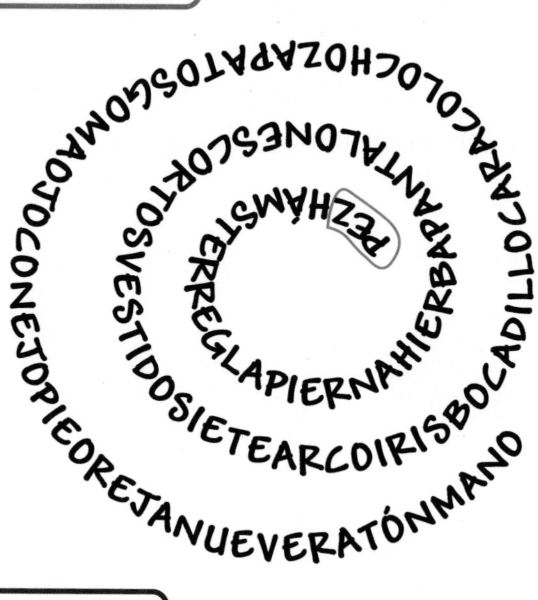

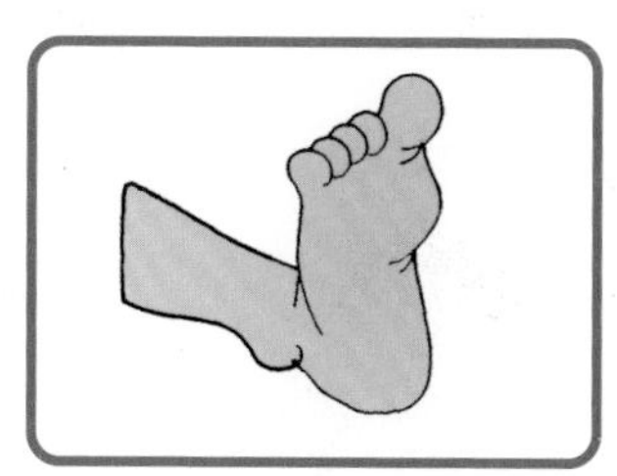

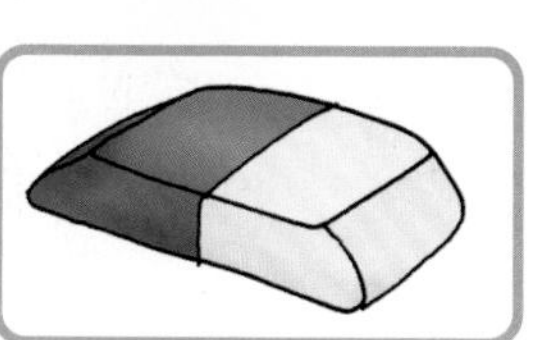
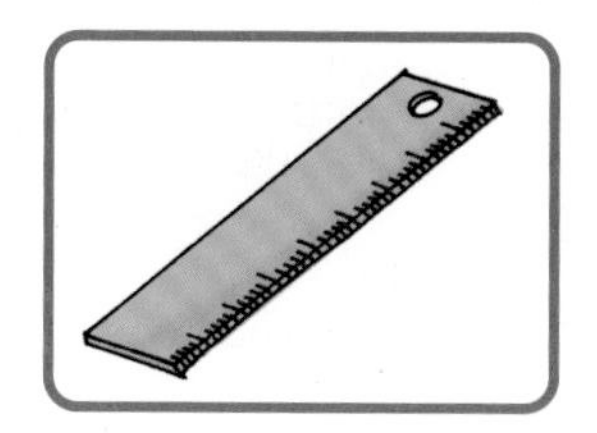

1
En clase

1 Observa las piezas del puzzle de la página 91 durante un minuto. Luego lee las preguntas y elige la respuesta correcta.

¿Cuántas mesas hay?	seis	siete
¿Cuántas sillas hay?	ocho	nueve
¿Cuántas ventanas hay?	tres	cuatro
¿De qué color es la pizarra?	verde	negra
¿De qué color es la puerta?	roja	marrón

2 Recorta las piezas del puzzle de la página 91. Pégalas y comprueba las respuestas del ejercicio 1.

3 Usa los códigos. Adivina las palabras.

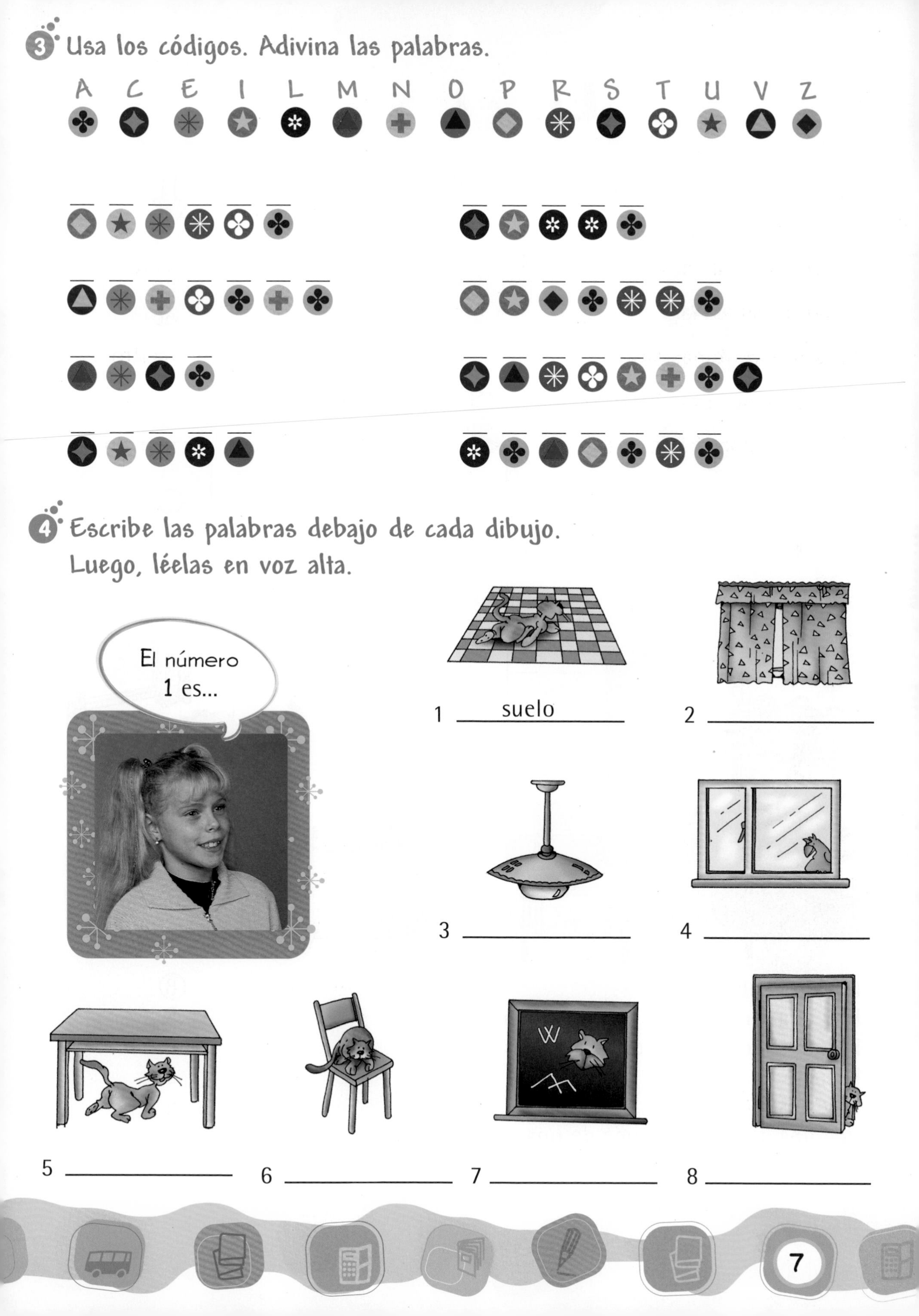

4 Escribe las palabras debajo de cada dibujo.
Luego, léelas en voz alta.

5 Escribe las palabras del cuadro debajo de cada dibujo.

dentro de
encima de
debajo de
detrás de
delante de

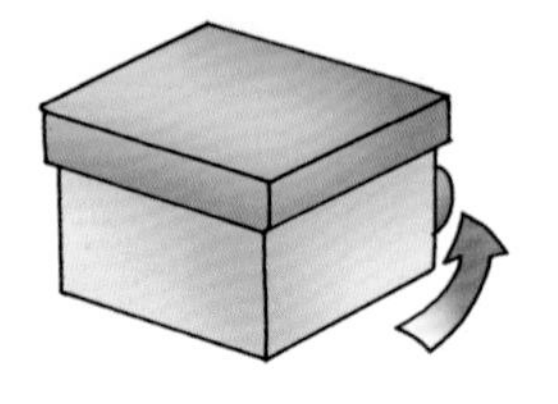

....

....

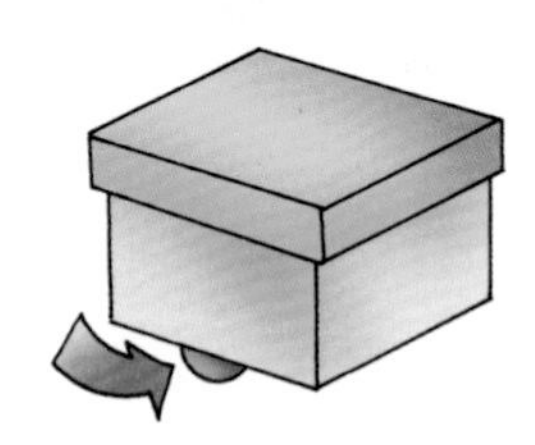

....

....

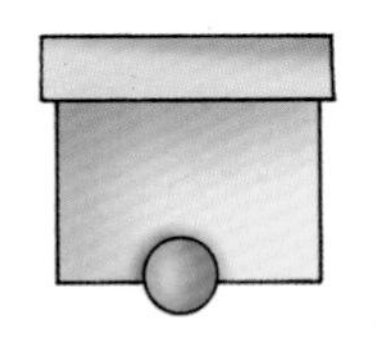

....

6 Relaciona cada frase con el dibujo A o el dibujo B.

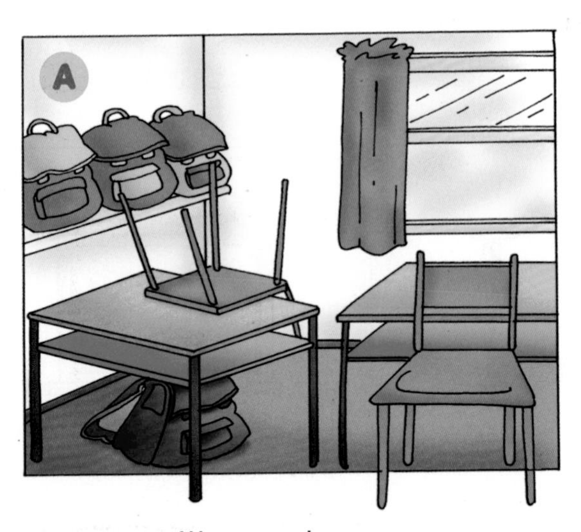

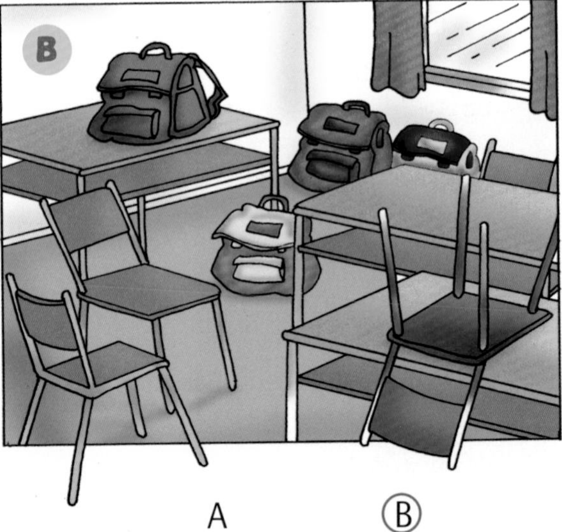

Hay tres sillas verdes.	A	(B)
Hay una mochila azul encima de una mesa.	A	B
Hay tres mochilas verdes y azules.	A	B
El suelo es marrón.	A	B
Hay tres mesas verdes y naranjas.	A	B
Hay una silla azul encima de una mesa.	A	B
Las cortinas son verdes.	A	B

7 Observa el dibujo de la página 6 durante veinte segundos. Luego, trabaja con un compañero y completa las frases.

dentro de
encima de
debajo de
detrás de
delante de
encima de
debajo de

Hay un estuche amarillo .... una mesa.

Hay una mochila azul .... las cortinas.

Hay una manzana .... una silla naranja.

Hay dos libros verdes .... una mochila roja.

Hay un televisor .... la pizarra.

Hay un ratón .... una silla naranja.

Hay un conejo .... una mesa.

8 Colorea las camisetas.
Completa las secuencias: Códigos: 1 = rojo, 2 = azul, 3 = amarillo.

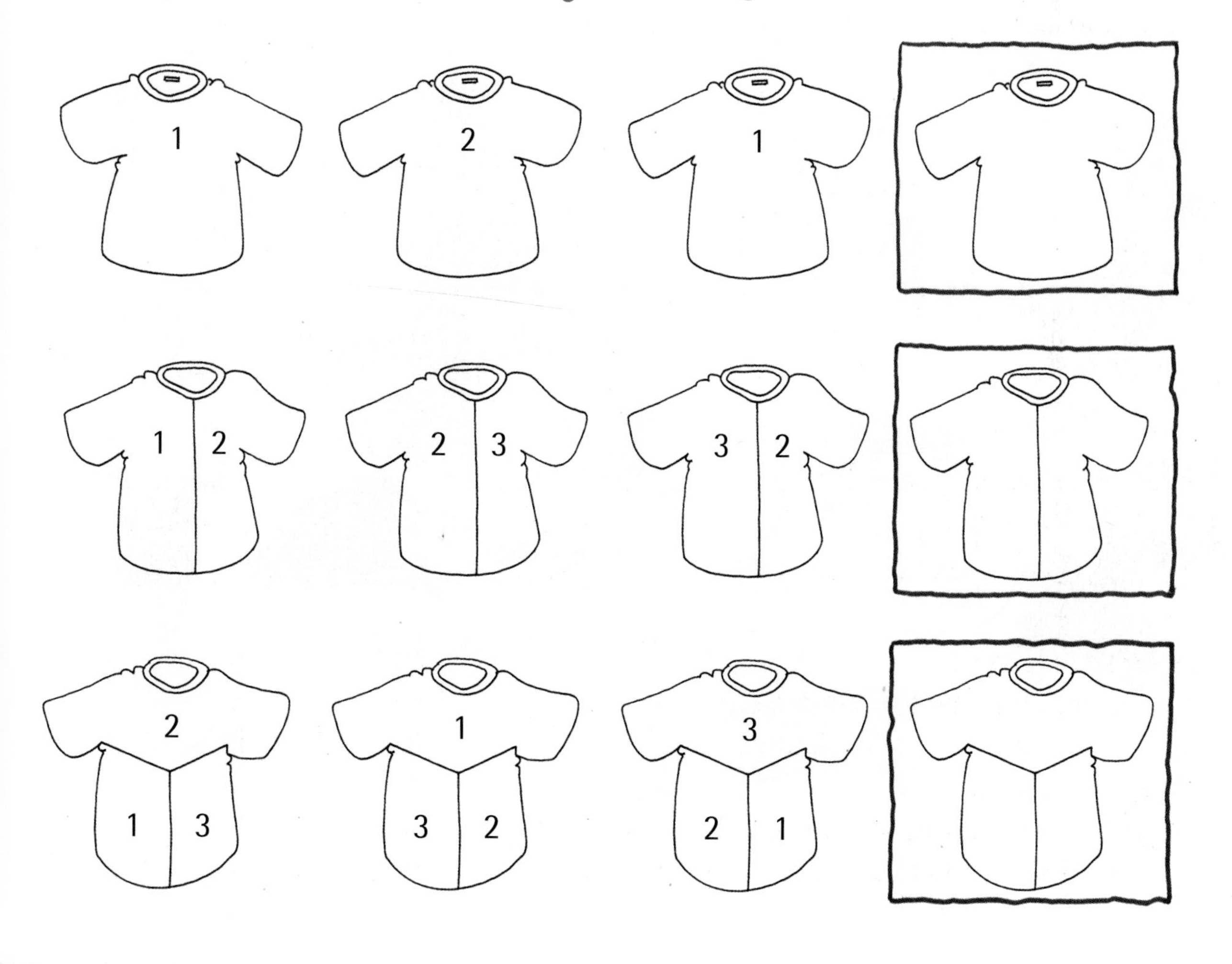

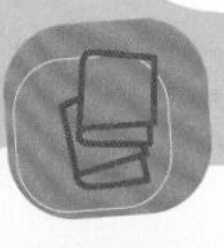

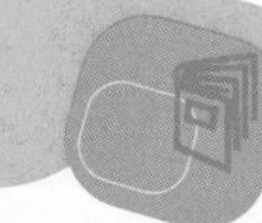
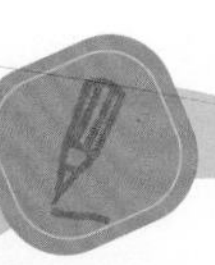

1
En clase

9 Una historia - *La rana.* 

Haz el puzzle de la página 93 para conocer el final de la historia.

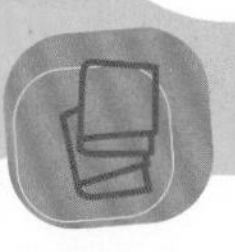

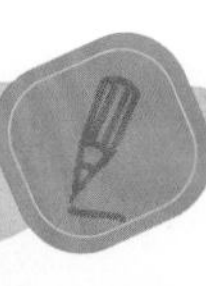

2 Los números

1 Escucha y canta.

Noventa y nueve platános al día

Venid todos a escuchar,
tengo un amigo muy especial.

Se come treinta y tres plátanos para desayunar;
Se come treinta y tres plátanos para almorzar;
Se come treinta y tres plátanos para cenar;
Noventa y nueve plátanos al día son.

Venid todos a escuchar,
tengo un amigo muy especial.

Su color preferido amarillo es.
Su comida preferida amarilla es.
Su número preferido noventa y nueve es.
Vive en el zoo de Madrid.

Venid todos a escuchar,
tengo un amigo muy especial.

2 Trabaja con un compañero.

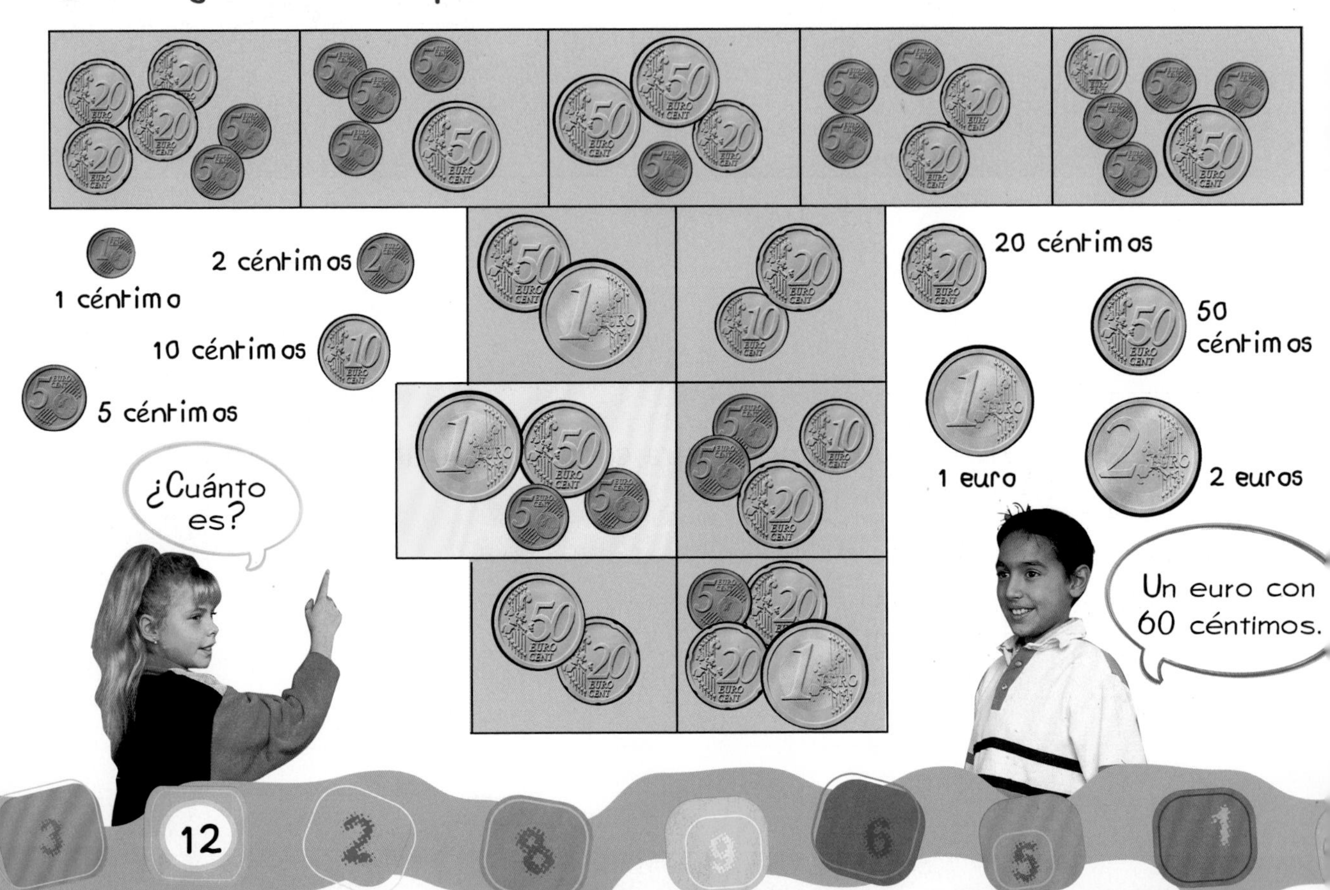

3 Escucha y colorea.

4 Juega con un compañero.

5 ¿Cuánto dinero tiene Pepito? Escucha, marca los números y suma.

20	33	32	71	16	62
2	10	18	1	60	13
24	22	80	11	15	91
12	80	8	38	6	46
70	25	19	22	54	30

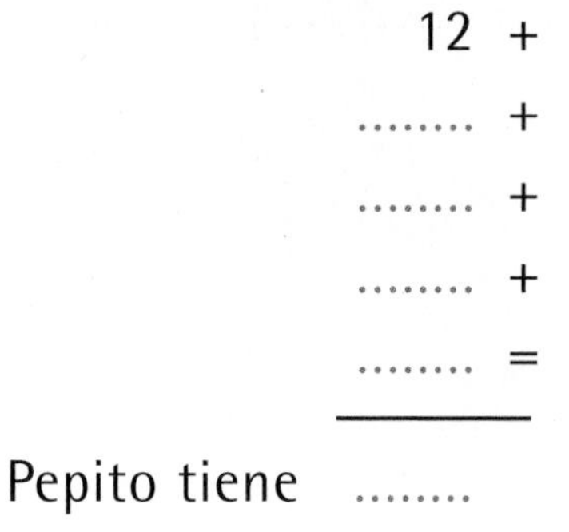

12 +
.... +
.... +
.... +
.... =

Pepito tiene ....

6 Sigue a Toni.

7 Escucha y completa con un número.

3

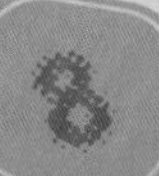

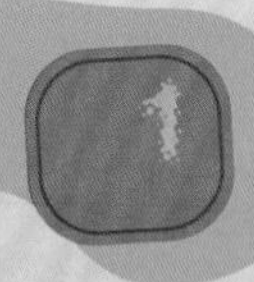

8 Escucha. ¿Qué compran los niños? ¿Cuánto cuestan las cosas?

9 Encuentra el camino hacia el número 30. Escribe los números que aparecen en tu camino en el recuadro.

5 + ... = 30

5 +12 salida -18 +15 -13 +14 +4 +9 +2 +18 -17 -11 +1 -7 -8 +7 +9 30

2
Los números

10 Escucha. Después juega con tus compañeros.

11 Niños de España e Hispanoamérica.

Hola, me llamo Francisco. Vivo en Buenos Aires. Me gustan las galletas de chocolate, los zumos y los plátanos. Todos los días desayuno un vaso de leche con cacao y galletas de chocolate. Todas las semanas compro bollitos para la escuela y caramelos.

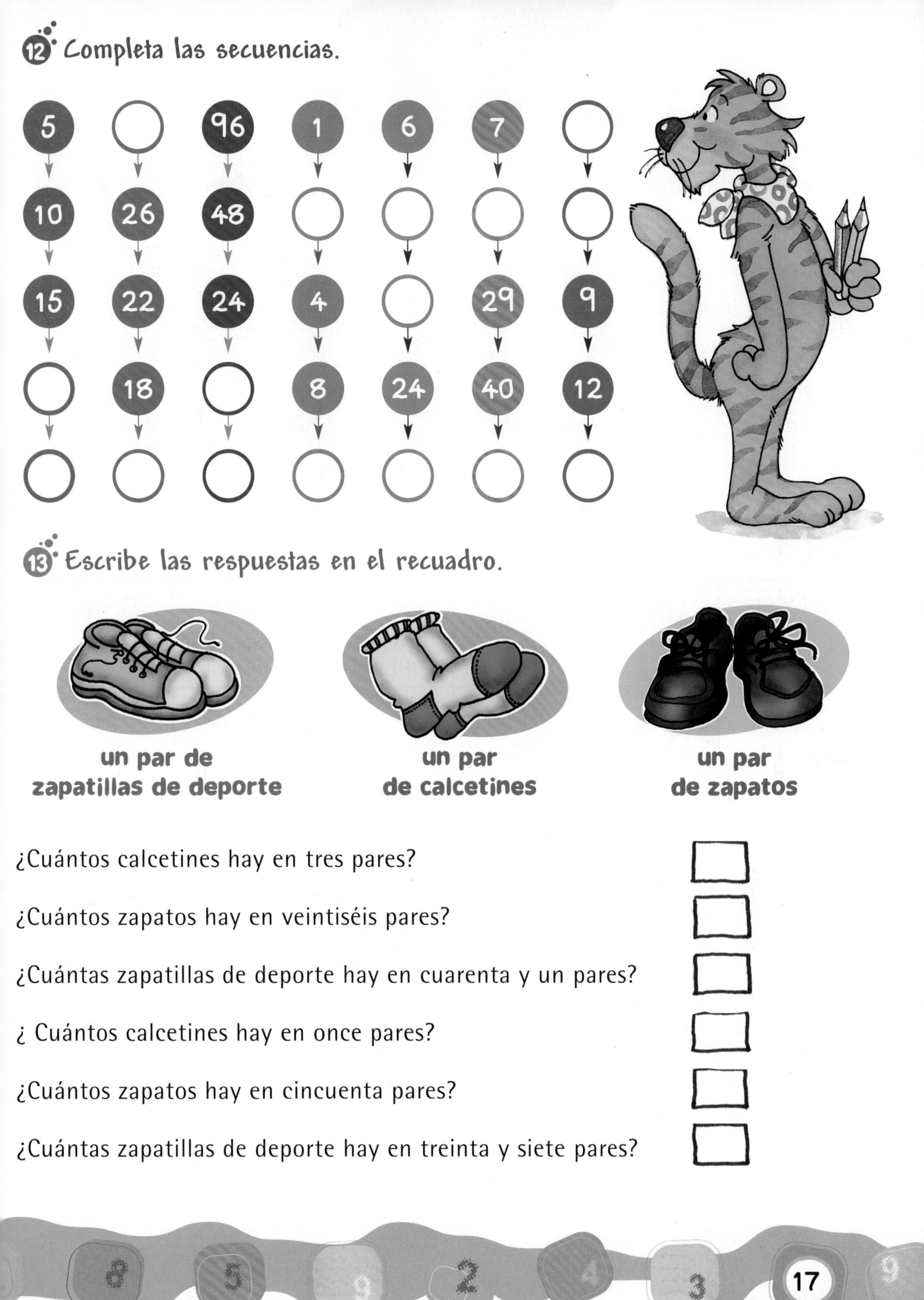

12 Completa las secuencias.

5		96	1	6	7	
10	26	48				
15	22	24	4		29	9
	18		8	24	40	12

13 Escribe las respuestas en el recuadro.

un par de zapatillas de deporte

un par de calcetines

un par de zapatos

¿Cuántos calcetines hay en tres pares? ☐

¿Cuántos zapatos hay en veintiséis pares? ☐

¿Cuántas zapatillas de deporte hay en cuarenta y un pares? ☐

¿ Cuántos calcetines hay en once pares? ☐

¿Cuántos zapatos hay en cincuenta pares? ☐

¿Cuántas zapatillas de deporte hay en treinta y siete pares? ☐

3 El colegio

1 Este es el horario de Antonio y María. No está completo. Escucha y completa los números de las asignaturas que faltan.

 Geografía e Historia  Ciencias   Educación física

  Lengua  Inglés   Educación plástica

  Matemáticas   Música   Religión

MAÑANA	Lunes	Martes	Miércoles	Jueves	Viernes
1			Geografía e Historia	Geografía e Historia	Matemáticas
2			Matemáticas	Lengua	Lengua
3	Inglés	Religión	Matemáticas	Lengua	Inglés
4	Inglés	Educación física		Ciencias	
5	Educación física	Geografía e Historia		Ciencias	

TARDE	Lunes	Martes	Miércoles	Jueves	Viernes
1	Geografía e Historia				
2	Religión				

    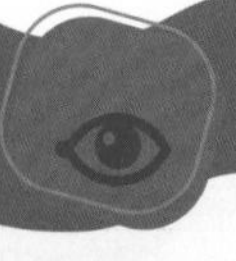   

2 Lee los siguiente textos.

Me llamo Carlos.

Estoy en 4° A y tengo nueve asignaturas: matemáticas, geografía e historia, lengua, educación física, música, ciencias, educación plástica, religión e inglés.

Me gustan mucho educación física y lengua. No me gustan las matemáticas.

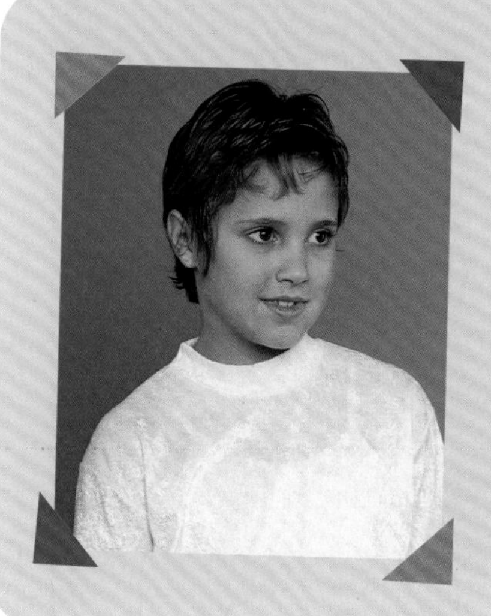

Hola, me llamo Sandra.

Yo estoy en 4° y me gusta mucho la escuela. Mi día favorito es el viernes porque tengo educación plástica, música e inglés.

No me gustan los lunes porque tengo historia y ciencias.

3 Y ahora tú. ¿Cuántas asignaturas tienes? ¿Cuál es tu día favorito?

....

....

....

....

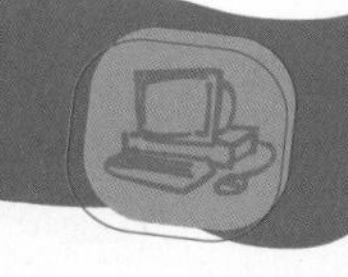       

3 El colegio

4 Una historia - *El perro*

Un día después.
Mira,
el perro está
encadenado.
Pobre perro.
Tengo una idea.

En la escuela
Miguel,
el lápiz rojo, por favor.
Toma.

Él necesita
comida, agua
y amor.
¡Mira
ese cartel!

Él necesita
comida, agua
y amor.
¡Fuera
de aquí, niños
estúpidos!

Hola, soy Lola
y le llamo para...

Dos horas después
Sube,
perrito.

Una semana después.
¡A
comer!

3 El colegio

5 Niños de España e Hispanoamérica. Relaciona cada carta con su foto.

Querido Miguel:
en la escuela usamos mucho los ordenadores para escribir poesías o cartas a los amigos.

Un saludo,
Salvador.

Querido Rafael:
los martes, a tercera hora, tenemos música. En la foto estoy con mis compañeros durante la clase de música. La música me gusta mucho, pero las matemáticas me gustan más que la música.

Un saludo,
Carlos

Querida Sandra:
este año estoy en cuarto.
En la foto estoy jugando
con mis amigos, en el recreo.
Me encanta jugar, e historia
es la asignatura que más
me gusta.

Saludos,
David.

Querida Rosa:
los lunes, a primera hora,
tenemos educación física.
En la foto estoy con mi clase
en el gimnasio, y hacemos
gimnasia. Esta asignatura me
gusta mucho.

Un saludo,
Victoria.

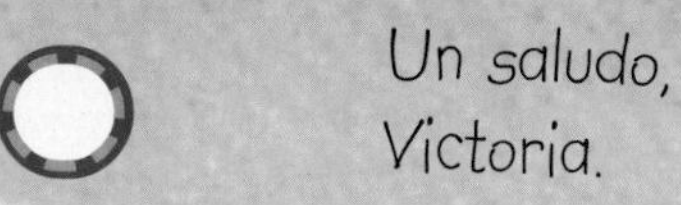

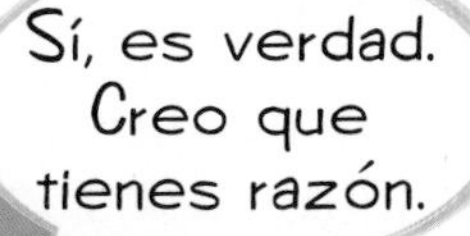

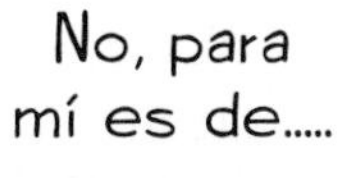

4 Tiempo libre

1 Escucha y señala. 

jugar al ping pong

tocar el piano

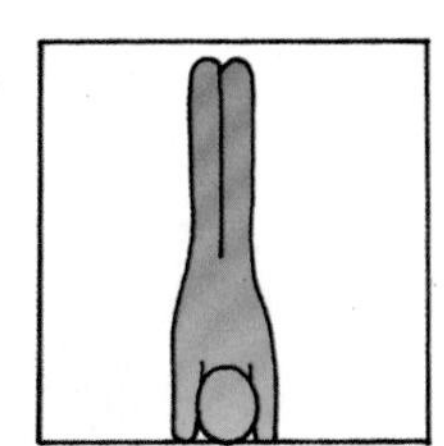

hacer el pino

jugar al fútbol

nadar

patinar

esquiar

montar a caballo

2 Escucha y canta. 

Mi hermana, mi hermano y yo

Mi hermano Pedro es estupendo
Sabe cantar,
sabe nadar
y también sabe esquiar.

Mi hermana Rosa es maravillosa,
sabe hacer el pino
y baila de un modo divino.

Yo no sé cantar,
yo no sé nadar
pero sé muy bien reír y jugar.

Él es estupendo,
ella es maravillosa
y todo el día lo pasamos
jugando y riendo.

3 Escucha y señala qué actividad sabe hacer cada niño y qué actividad no sabe hacer.

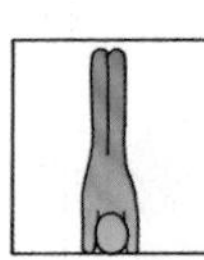

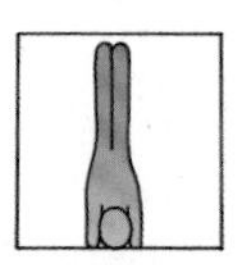

4 Pregunta a tu maestro o maestra y completa.

El maestro/
la maestra

....

sabe								
no sabe								

5 Pregunta a un compañero y señala sus respuestas.

Sandra, ¿sabes nadar? / esquiar? / ....?

Sí, bastante bien.

Sí, un poco

No, no sé.

sabe	☐	☐	☐	☐	☐	☐	☐	☐
.... (nombre)								
no sabe	☐	☐	☐	☐	☐	☐	☐	☐

6 Completa la tabla en clase. Después, haz un resumen.

	Ismael	Juan								
nadar	✔	✔								
jugar al fútbol	✔	✘								
montar a caballo	✘	✔								
tocar el piano	✘	✔								

Resumen:

En nuestra clase hay .... alumnos: .... chicos y .... chicas. .... alumnos saben .... y .... no saben ....

Nadie sabe .... y todos saben ....

7 Lee y después escribe sí o no.

El niño de la camiseta roja y los pantalones azules no sabe tocar el piano y no sabe nadar, pero sabe montar a caballo.

La niña de la camiseta verde y los pantalones rojos no sabe montar a caballo y no sabe patinar, pero sabe tocar el piano.

El niño de la camiseta azul y pantalones cortos no sabe tocar el piano y no sabe montar a caballo, pero sabe nadar.

La niña de la camiseta naranja y los pantalones azules no sabe patinar y no sabe tocar el piano, pero sabe montar a caballo.

Los niños saben patinar.
Las niñas saben nadar.

	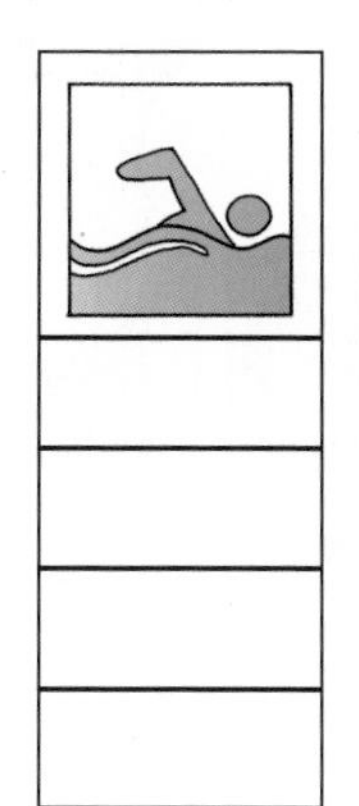	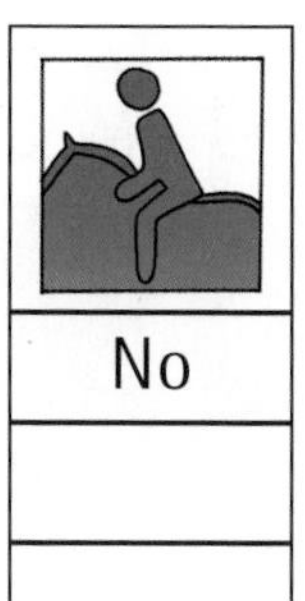		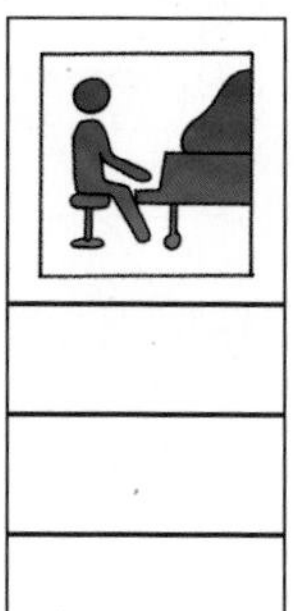
Silvia		No		
Julio				
Patricia				
Enrique				

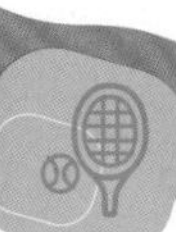
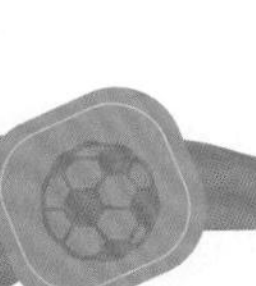

4
Tiempo libre

8 Una historia - *Arco y flechas.*

A ver si consigues darle al pato.

Sí, prueba, Miguel.

¡Genial! ¡Es el mejor!

¡No! ¡Piensa en el pato!

Muy bien, Miguel. ¡Mira!

1
Unidad de revisión

1 ¿Cuál es la respuesta verdadera? Colorea las nubes.

Sí, un hámster.

Cuatro.

Azul y roja.

No, no me gusta.

El sábado.

No, no sé.

¿Sabes montar a caballo?

¿Tienes un animal doméstico?

¿Cuál es tu día favorito?

¿De qué color es tu mochila?

¿Cuántas ventanas hay en tu clase?

¿Te gusta el queso?

2 Rodea las diez palabras escondidas de la clase.

P	S	I	L	L	A	M	T	Ñ	M
I	A	S	I	A	N	E	O	A	A
Z	T	A	B	P	A	L	G	M	L
A	E	B	R	I	C	I	O	A	O
R	N	L	O	Z	R	L	M	E	G
R	B	O	L	Í	G	R	A	F	O
A	I	V	E	N	T	A	N	A	E
M	E	S	A	R	O	N	R	C	Ñ
E	J	A	R	E	G	L	A	L	O
S	O	M	O	C	H	I	L	A	S

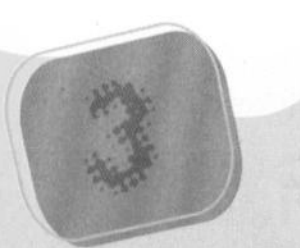

3 Completa las frases.

detrás de
encima de
debajo de
delante del
dentro de

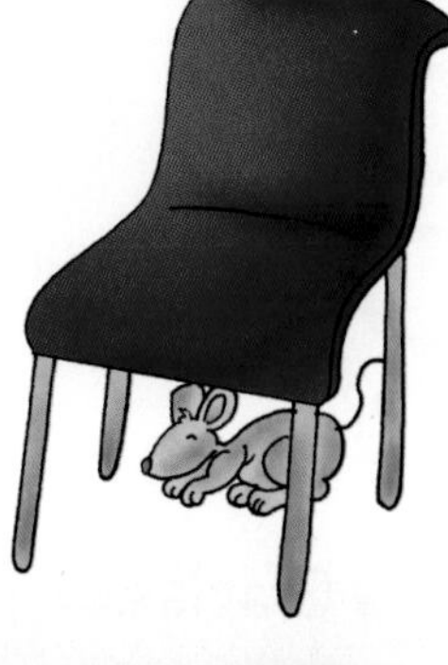

Hay un ratón blanco

.... la mochila.

Hay un ratón negro

.... la mesa.

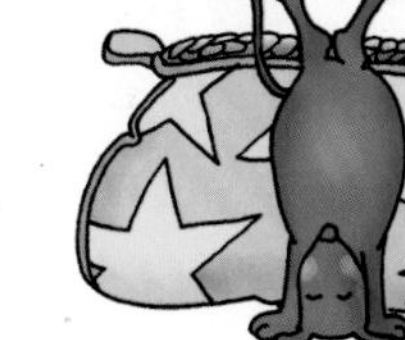

Hay un ratón rosa .... la silla.

Hay un ratón rojo .... la pizarra y un ratón azul .... estuche.

4 Suma. ¿Cuántos céntimos de euro son?

0,20 € + 0,2 € + 0,3 € + 0,50 € = ...

0,10 € + 0,50 € + 0,3 € + 0,1 € = ...

0,20 € + 0,20 € + 0,5 € + 0,5 € = ...

0,5 € + 0,10 € + 0,20 € + 0,2 € = ...

0,50 € + 0,20 € + 0,5 € + 0,10 € + 0,2 € = ...

0,5 € + 0,10 € + 0,10 € + 0,50 € + 0,1 € = ...

0,20 € + 0,20 € + 0,2 € + 0,1 € + 0,50 € = ...

0,10 € + 0,5 € + 0,10 € + 0,20 € + 0,50 € = ...

5 ¿Cuánto es?

55 – 30 + 5 + 40 – 20 + 50 = ...

44 + 6 + 17 + 3 – 25 + 15 = ...

90 – 20 – 15 – 40 + 35 + 15 = ...

15 + 27 – 40 + 13 – 8 + 12 = ...

6 Ordena los siguientes diálogos. Completa con un número.

- ◯ Adiós.
- ◯ Dos manzanas, por favor. ¿Cuánto es?
- ◯ Son 75 céntimos.
- ◯ Gracias.
- ◯ Aquí tiene.
- ◯ Hasta luego.

- ◯ ¿60 céntimos?
- ◯ Un refresco de cola, por favor. ¿Cuánto es?
- ◯ No, 50 céntimos.
- ◯ Gracias.
- ◯ Son 50 céntimos.
- ◯ Aquí tiene.

7 Lee el siguiente diálogo y completa con un número.

- ◯ Adiós.
- ◯ Buenos días.
- ◯ Adiós.
- ◯ Aquí tiene.
- ◯ Un euro con 60 céntimos.
- ◯ Una tableta de chocolate y un zumo de naranja, por favor.
- ◯ Gracias.
- ◯ Buenos días.

1 2

3 4

5 6

7 8

8 ¿Cómo es tu clase de español?

Los .... tenemos clase de español.

Nuestra maestra / nuestro maestro se llama ....

Lo que más me gusta de mi libro de español es / son ....

....

9 Observa el dibujo y escribe cuatro frases sobre lo que sabes y no sabes hacer.

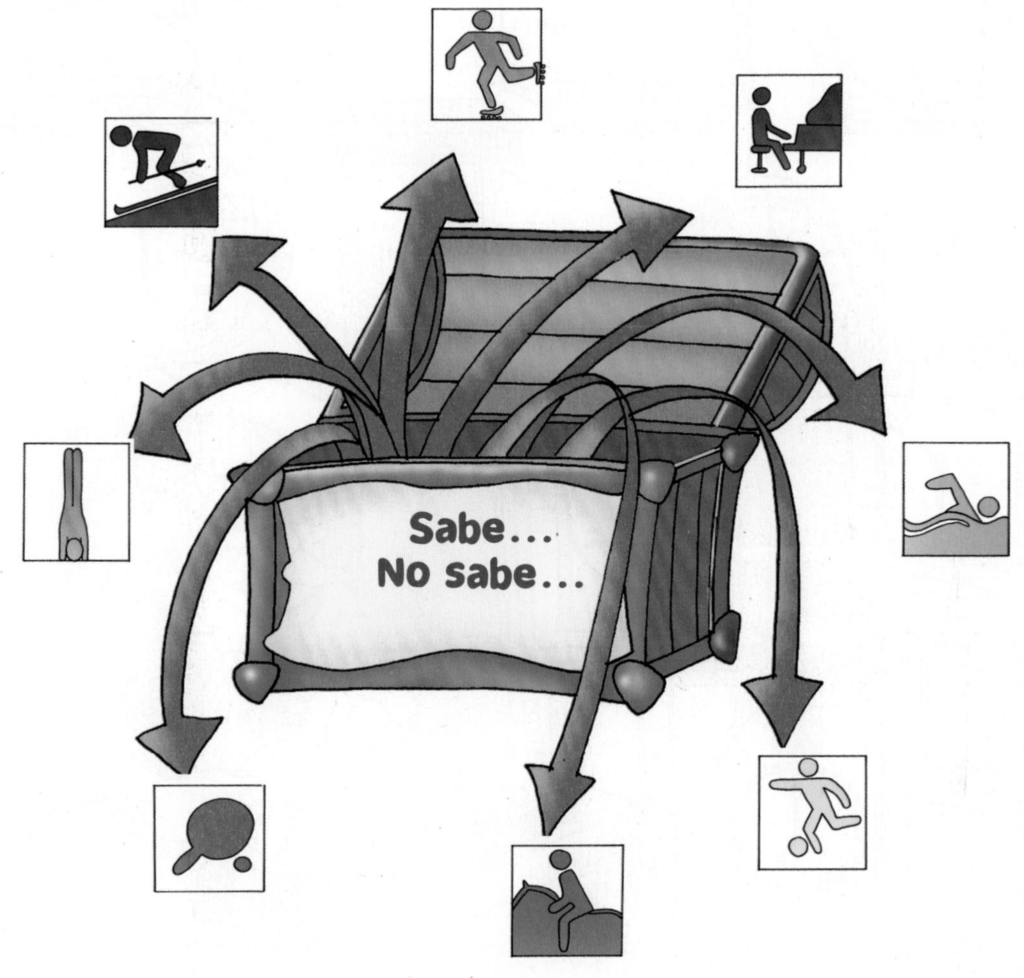

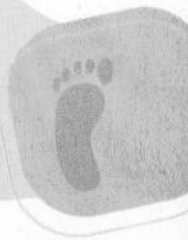

5

¿Qué hora es?

1 Escucha y numera. ¿Qué hora es?

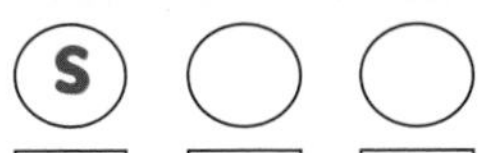

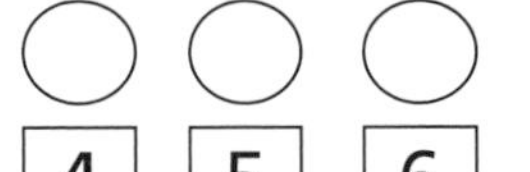

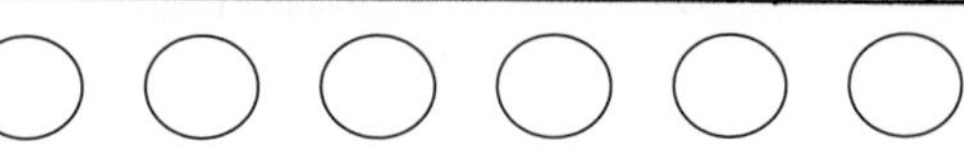

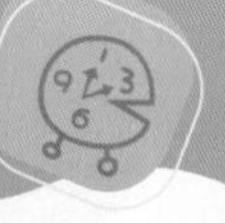

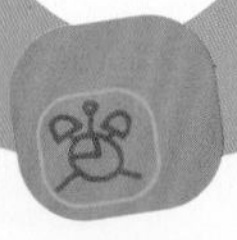

2 Escucha y dibuja.

3 Adivina la hora y colorea.

- ◯ Son las cinco.
- ◯ Son las once y media.
- ◯ Son las ocho y media.
- ◯ Son las siete.
- ◯ Son las tres y media.
- ◯ Son las seis y media.
- ◯ Son las ocho.
- ◯ Son las doce.

5
¿Qué hora es?

4 Una historia - *El reloj.* 

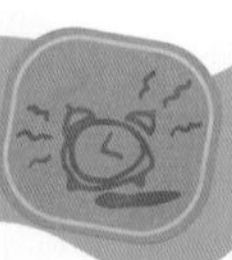

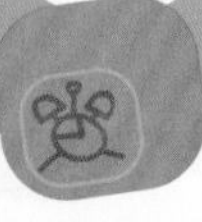

Tengo una idea.
En las escaleras
Un minuto después
Ahora, vamos a coger el reloj.
Está en el piso de abajo. ¡Cuidado!
¡Aaaaaaah!
¡Rápido! ¡Llama a la Policía!
¡Gracias!
Adiós.
Hay canicas por todas partes.
Lo sé...
¡Qué idea tan genial, Miguel!

5
¿Qué hora es?

5 Escucha y canta.

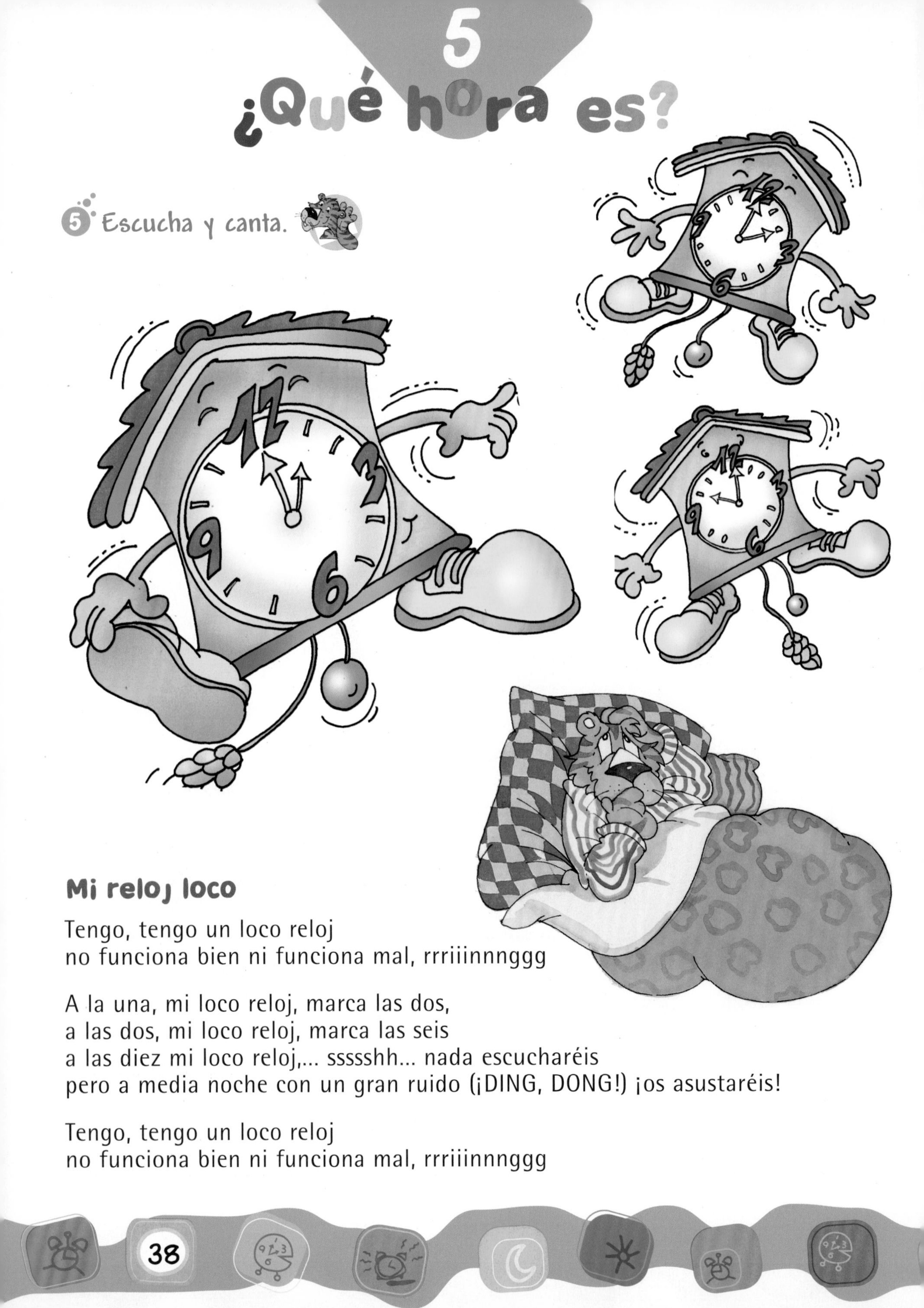

Mi reloj loco

Tengo, tengo un loco reloj
no funciona bien ni funciona mal, rrriiinnnggg

A la una, mi loco reloj, marca las dos,
a las dos, mi loco reloj, marca las seis
a las diez mi loco reloj,... ssssshh... nada escucharéis
pero a media noche con un gran ruido (¡DING, DONG!) ¡os asustaréis!

Tengo, tengo un loco reloj
no funciona bien ni funciona mal, rrriiinnnggg

6 El bingo-reloj.

7 ¿Qué hora es? Observa y escríbela.

6
Los amigos

1 Escucha y canta la canción.
Rodea lo que le gusta a cada niño (Isabel: ○ Manuel ○).

Mis mejores amigos

A ella le gusta la música y el deporte.
A ella le gustan los libros y los perros.
A ella le gustan las arañas y las ranas.

Se llama Isabel,
es mi amiga.
Se llama Isabel,
es mi mejor amiga.

A él le gustan las cometas y los libros.
A él le gustan las gorras y los gatos.
A él le gustan las mariposas y las ratas.

Se llama Manuel,
es mi amigo.
Se llama Manuel,
es mi mejor amigo.

Isabel y Manuel
son mis amigos.
Isabel y Manuel
son mis mejores amigos.

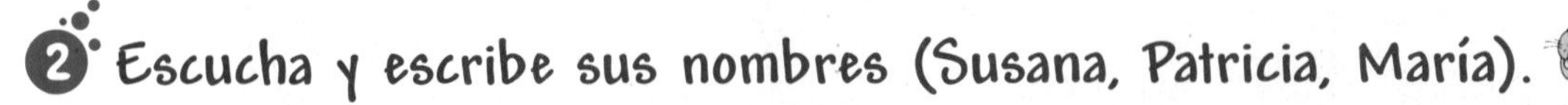

2 Escucha y escribe sus nombres (Susana, Patricia, María).

3 Niños de España e Hispanoamérica.

Este es Pedro.
Tiene nueve años. Le gustan los animales y los libros. Tiene un perro, un gato y un hámster. Su libro favorito es *La isla del tesoro*. Su cumpleaños es en septiembre.

Esta es Ana.
Tiene nueve años. Le gusta practicar deporte y la música. Sabe esquiar. Su cantante favorito es Chayane. Su cumpleaños es en diciembre.

Esta es Eva. Tiene nueve años. Le gustan los perros y la música. Sabe tocar el piano. Su cumpleaños es en julio.

Este es José.
Tiene nueve años.
Le gustan los libros y practicar deporte. Su deporte favorito es el baloncesto y le encantan los libros de aventuras. Su cumpleaños es en marzo.

Este es Luis.
Tiene nueve años.
Le gusta el fútbol y leer libros. Su equipo favorito es el Real Madrid. Su cumpleaños es en abril.

Esta es Valentina.
Tiene diez años. Le gusta la música y practicar deporte. Su deporte favorito es el fútbol. Su cantante favorito es David Bisbal. Su cumpleaños es en febrero.

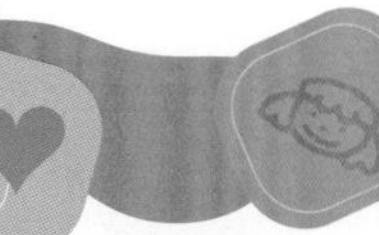

6

Los amigos

4 Una historia. *Lola, María y Diana.*

Una hora más tarde en casa de Diana

6 Los amigos

5 Describe a tu mejor amigo-amiga.

Mi mejor amigo/amiga se llama ....

Tiene .... años. **1**

Su color favorito es el **2**

Su comida favorita es **3**

Su cumpleaños es en **4**

Le gusta mucho **5**

1 once doce ocho diez nueve

2 rojo negro morado amarillo marrón amarillo blanco naranja rosa azul

3 el pescado la carne el queso la pizza el arroz el helado

4 septiembre enero julio noviembre febrero abril junio octubre diciembre agosto marzo mayo

5 cantar nadar tocar la guitara montar a caballo jugar al fútbol

6 Lee el texto de Juan. Después, copia y completa el texto en el cuaderno. Dibuja al amigo de Juan.

Mi mejor amigo es un  . Tiene  años.

Su color favorito es el  .

Su comida favorita son los  con  .

Le encanta  .

Mi amigo tiene un  . Se llama Curro.

Curro sabe  y 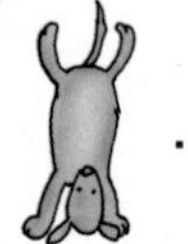 .

7 La lengua en puzzle.

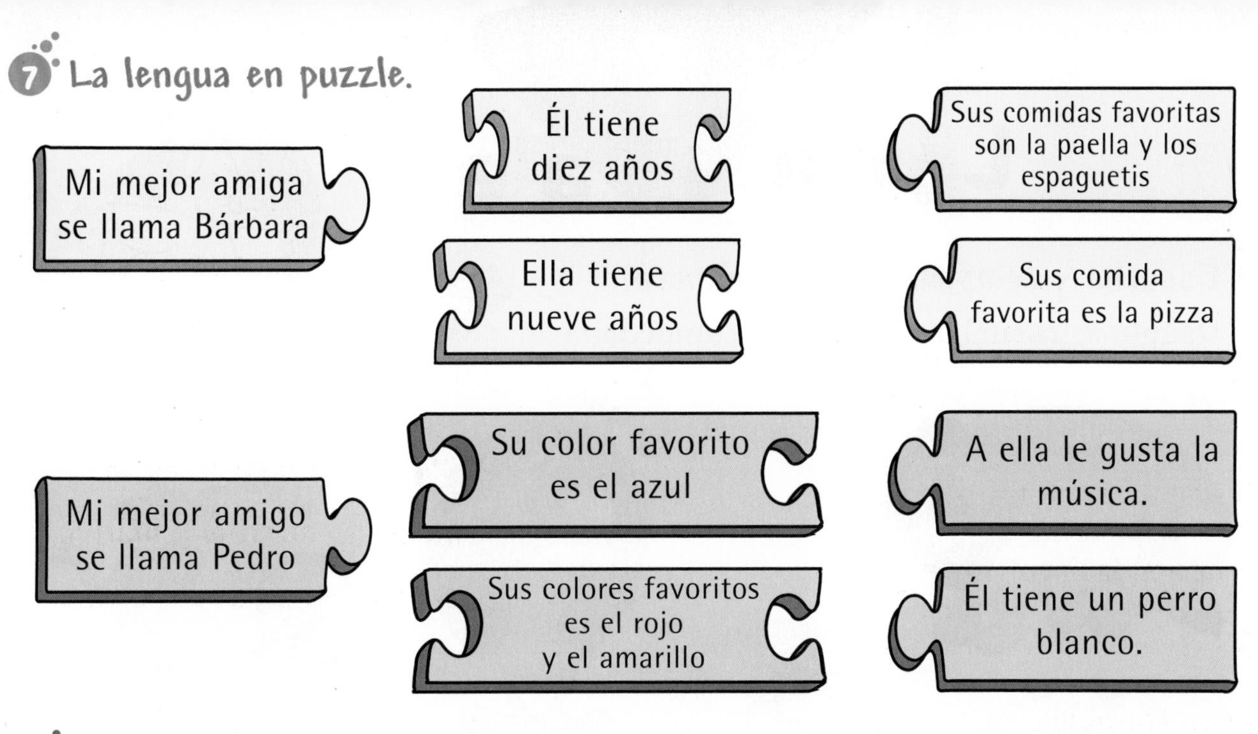

8 Fabrica una pulsera de la buena suerte. Regálasela a un amigo.

Necesitas:
unas tijeras, 3 cintas de diferentes colores (de 40 cm), cinta adhesiva.

Coloca las cintas en forma de U.

Haz un nudo.

Usa la cinta adhesiva para sujetarlas.

Haz una trenza.

Haz un nudo al final.

Regálale la pulsera a un amigo o a una amiga.

7

Los animales

1 Escucha y completa con un número.
Después, escucha otra vez y comprueba.

2 Escribe los nombres de los animales.
¿Qué animal falta?

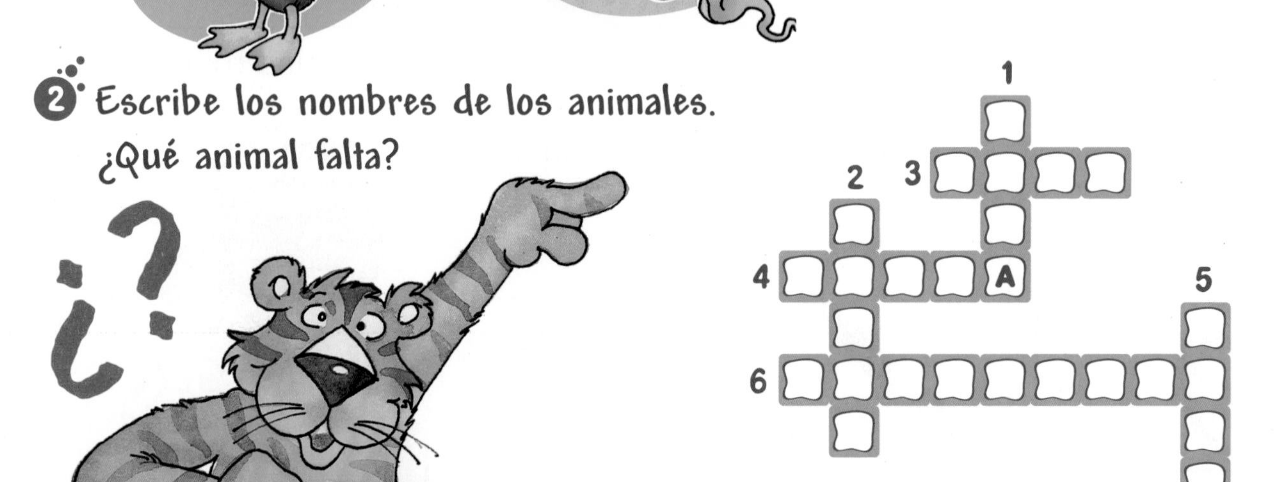

....

3 Una canción. Escucha y completa con una palabra.

Mi animal favorito

elefante cantar
volar patas perro
bosque rojo conejo

Adivina qué animal me gusta más
Adivina qué animal me gusta más
¿Vale?
¡Vamos!

¿Vive en África?
No, no, no, no, no.

¿Vive en el ....?
No, no, no, no, no.
¿Tiene dos ....?
No, no, no, no, no.
¿Sabe ....?
No, no, no, no, no.
¿Sabe ....?
No, no, no, no, no.
¿Es marrón y ....?
No, no, no, no, no.

No es un sapo,
no es un ....,
no es un ....,
ni tampoco un ....
Entonces ¿qué es? ¿qué es?
¡Vamos, dímelo ya!

¡Es un sapofante!

7

Los animales

4 Una Historia - *El cerdito astuto.*

¡No nos comas!
Lo siento, tengo hambre.
Una última canción. Después nos comes, ¿vale?
Vale.
Aquí tienes la guitarra.
Gracias.
¿Estás listo, lobo?
Sí.
Vamos. Uno, dos, tres.
10.000 Volt 10.000 Volt
¡Basta! ¡Por favor!
Gracias.
La puerta está abierta.
Hasta la vista, lobito.

7 Los animales

5 Adivina qué animal es. Escucha y señala.

¿Tiene dos patas?
¿Tiene cuatro patas?
¿Vive en una granja?
¿Come hierba?
¿Come otros animales?
¿Es marrón?
¿Es un león?

Sí	No
○	○
○	○
○	○
○	○
○	○
○	○
○	○

6 Pon en orden las siguientes frases.

La	tiene	no	patas.	cuatro	gallina

....

El	orejas	elefante	grandes.	tiene	las

....

hipopótamo	en una granja.	vive	no	El

....

El	no	verde.	león	es

....

El	hierba.	conejo	come

....

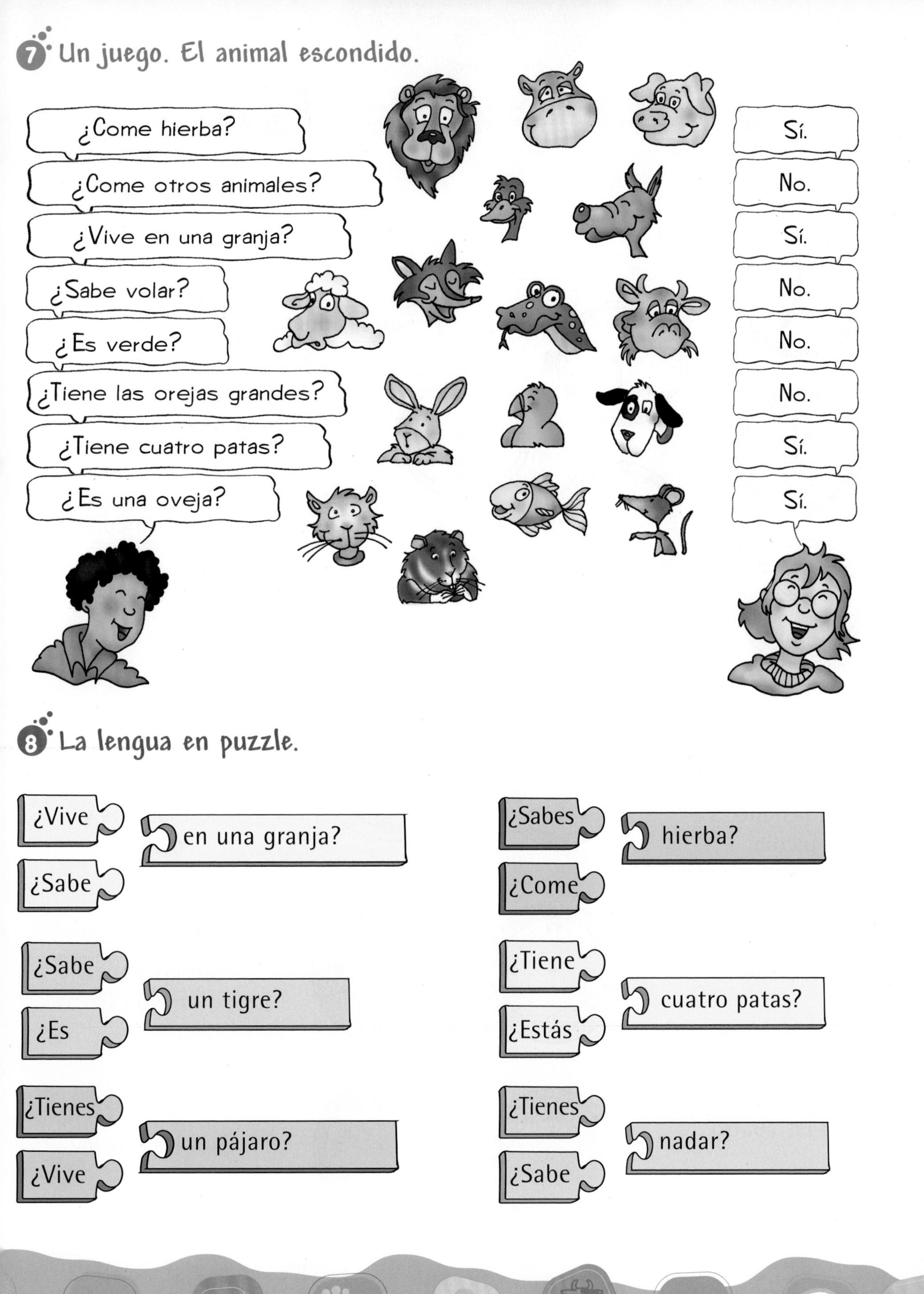
7 Un juego. El animal escondido.
¿Come hierba?
¿Come otros animales?
¿Vive en una granja?
¿Sabe volar?
¿Es verde?
¿Tiene las orejas grandes?
¿Tiene cuatro patas?
¿Es una oveja?
Sí.
No.
Sí.
No.
No.
No.
Sí.
Sí.
8 La lengua en puzzle.
¿Vive
¿Sabe
en una granja?
¿Sabes
¿Come
hierba?
¿Sabe
¿Es
un tigre?
¿Tiene
¿Estás
cuatro patas?
¿Tienes
¿Vive
un pájaro?
¿Tienes
¿Sabe
nadar?

2 Unidad de revisión

1 Lee y colorea.

Son las tres y media

Son las doce.

Son las once.

Es la una y media.

Son las nueve y media.

Son las cinco.

2 Lee y dibuja.

Son las once y media.

Son las seis y media

Son las dos.

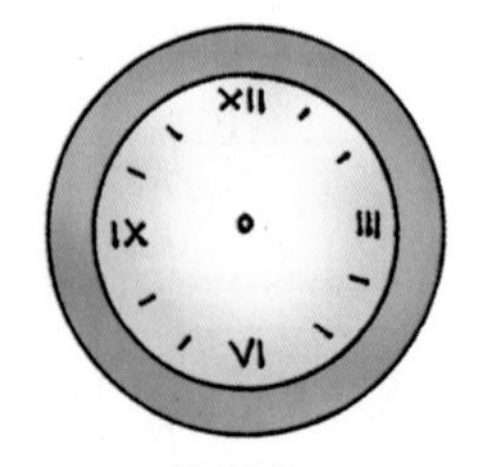

Son las doce y media.

Son las cuatro.

Son las nueve.

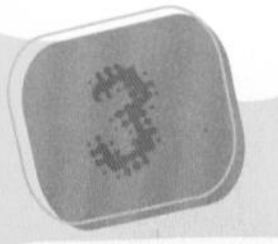

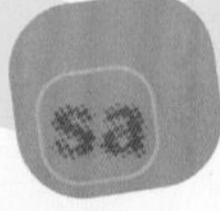

3 Completa las siguientes frases con las palabras del cuadro.

Tiene	llama	él	Su	ella	se	Su	tiene

Mi mejor amiga tiene diez años. Se .... Luisa.
.... cumpleaños es en Mayo. A .... le gusta la pizza y la carne. Carolina .... un gato.

Sandra

Mi mejor amigo .... llama Antonio. .... once años.
.... deporte favorito es el fútbol. A .... le gustan mucho los gatos y los perros.

Pedro

4 Describe a tu mejor amigo o amiga.

....

....

....

....

....

....

....

....

....

5 Escribe los nombres debajo de cada dibujo. Después, completa la palabra del cuadro.

R A T Ó N
1

_ _ _ _ 2

_ _ 3 _ _ _ _ _ _ _

_ _ _ 4 _ _ _ _ _

_ _ _ _ 5

_ _ _ _ 6

_ _ _ _ 7

_ _ _ _ _ _ _ _ _ _ 8

A _ _ _ _ _ _ _ _
1

6 Busca las preguntas. Después, escríbelas.

¿ViveenunagranjatienedospatasviveenÁfricasabevolartienecuatropatasesmarróncomehierbaesunleón?

¿Vive en una granja?

...

...

...

...

...

...

...

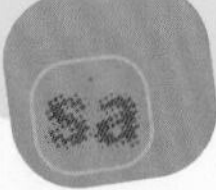

7 Escribe las preguntas.

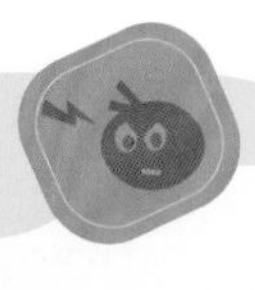

8
Mi habitación

1 Escucha y escribe los números. Descubrirás qué hay en la caja.

EL ESPEJO

EL ARMARIO

EL RELOJ

LA LÁMPARA

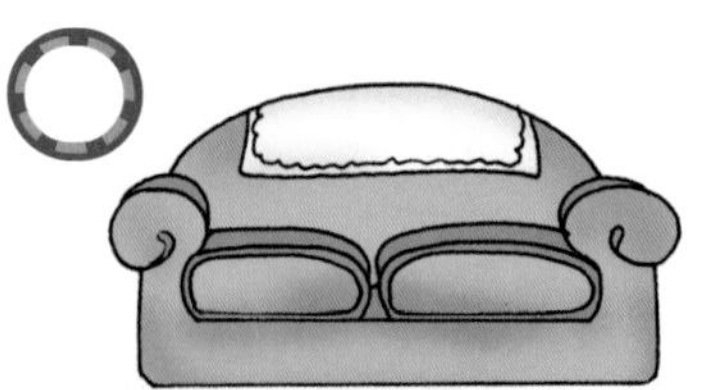

EL SOFÁ

EL JARRÓN

LA VENTANA

LA SILLA

LA MESA

EL CUADRO

LAS CORTINAS

1 2 3 4

5 6 7 8 9 10 11

2 Escucha y canta la canción.

¿Dónde está mi lápiz, lápiz, lápiz?
Busco debajo del armario
No está aquí

¿Dónde está mi regla, regla, regla?
Busco detrás de las cortinas
No está aquí

¿Dónde está mi goma, goma, goma?
Busco dentro de mi mochila
No está aquí

¿Dónde está mi libro, libro, libro?
Busco debajo de la mesa
No está aquí

Lápiz, regla, goma, libro,
¿dónde, dónde estáis?
¿dónde, dónde estáis?

3 ¿Dónde están los cuatro objetos?

encima
debajo
dentro
detrás

El .... está .... de la ....

La .... está .... del ....

La .... está .... de la ....

El .... está .... de la ....

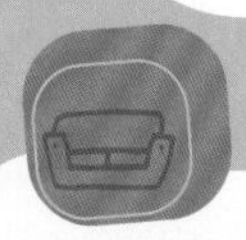

4 Sigue a Toni.

Roar
¡AAAH!

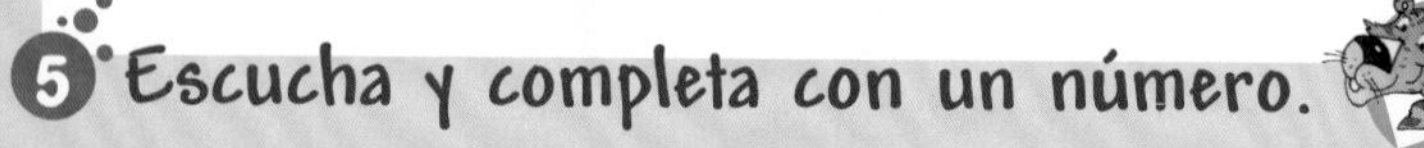
5 Escucha y completa con un número.

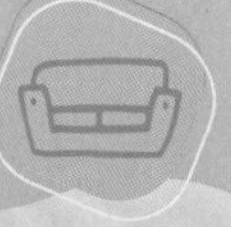

6 Encuentra las ocho palabras escondidas.

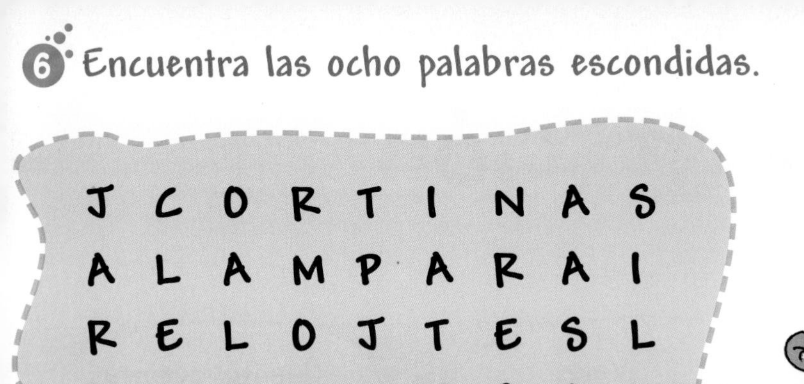

J C O R T I N A S
A L A M P A R A I
R E L O J T E S L
R D E N M E S A L
O E V E N T A N A
N A M O T S O F A

7 ¿Verdadero o falso? Corrige los datos falsos.

	V	F
Hay cinco sillas en la habitación	○	○
Hay una camiseta verde debajo de la silla amarilla	○	○
Hay unas zapatillas de deporte debajo de la cama	○	○
Hay un reloj viejo dentro del televisor	○	○
Hay un espejo encima de la mesa	○	○
Hay una lámpara encima de la mesa	○	○

8
Mi habitación

8 Una historia - *El sofá.*

   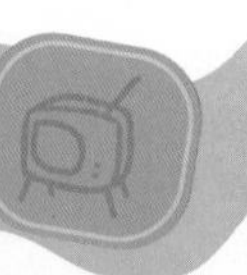  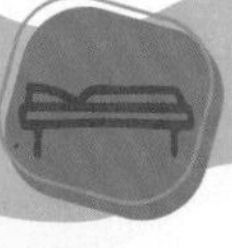  

¡Mira!
¡Oh, no! ¡Mi mochila!
¡Vamos a devolverlo!
No nos gusta el sofá, ¿nos devuelve el dinero?
Por supuesto, aquí tenéis.
Gracias.
¡Qué reloj tan bonito!
Voy a verlo.
Es maravilloso. ¿Cuánto cuesta?
Cien monedas de oro.
¡Nuestro dinero!
¡Oh, no!

9
¡A jugar!

1 Escucha el poema.
Completa con un número.

Una caja de chocolatinas
¡Viva, viva, viva!
Una caja de chocolatinas,
Es el premio del día.

Triángulos y círculos,
rectángulos y cuadrados.
De la caja a mi barriga,
el deseo de mi vida.

2 Juega con un compañero.

Mira el dibujo durante veinte segundos. Luego, tápalo.
Escribe lo que recuerdes aquí:

	En la caja de Lola:	En la caja de Miguel:
¿Cuántos triángulos hay?	....	....
¿Cuántos círculos hay?	....	....
¿Cuántos rectángulos hay?	....	....
¿Cuántos cuadrados hay?	....	....

3 Juega y colorea.

4 El helicóptero.

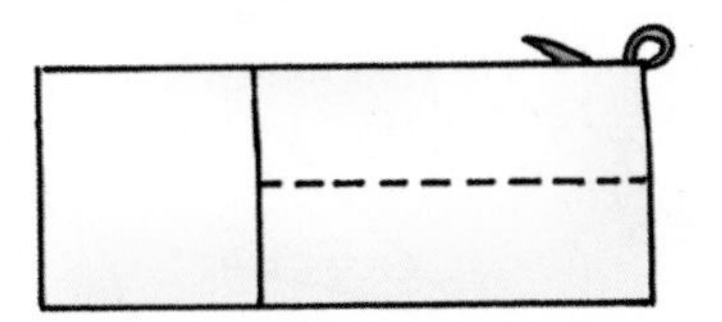

Recorta el rectángulo de la página 95.

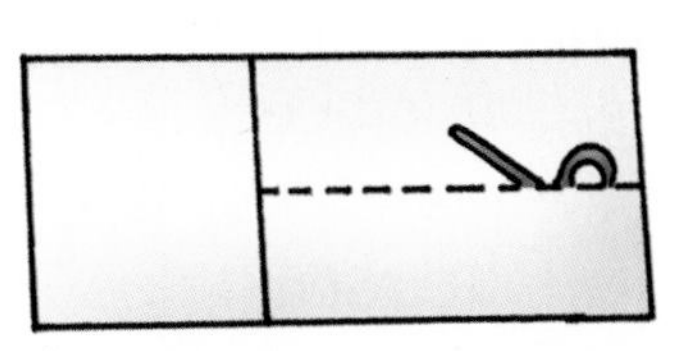

Corta por la línea de puntos.

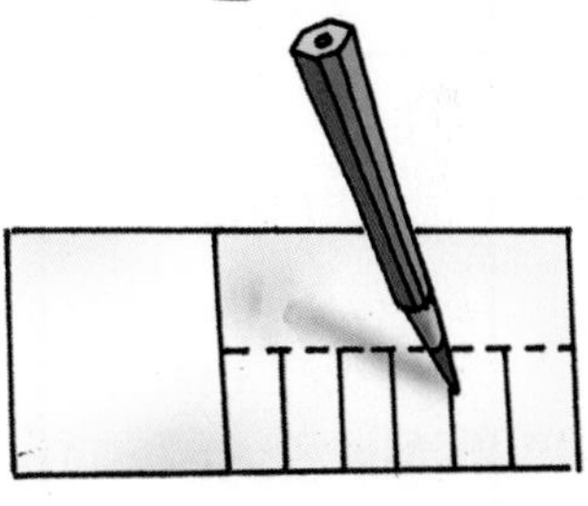

Dibuja tiras de un cm, como éstas.

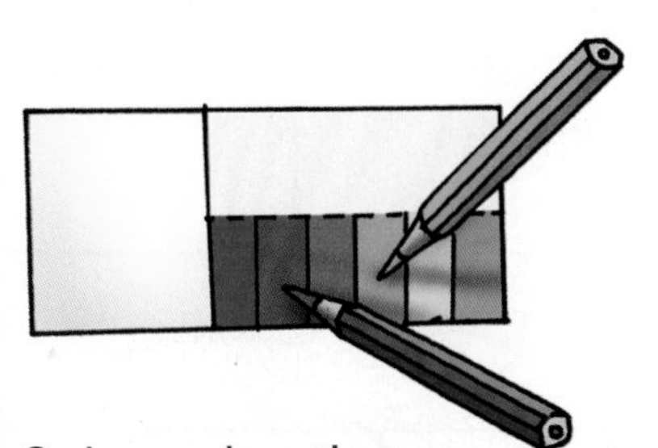

Colorea las tiras.
Dale la vuelta a la hoja.
Colorea la otra parte del mismo modo.

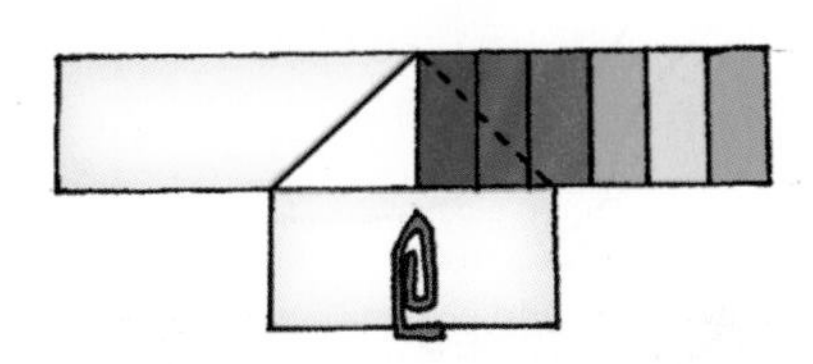

Dobla las tiras hacia atrás como en el dibujo.
Coloca un clip.

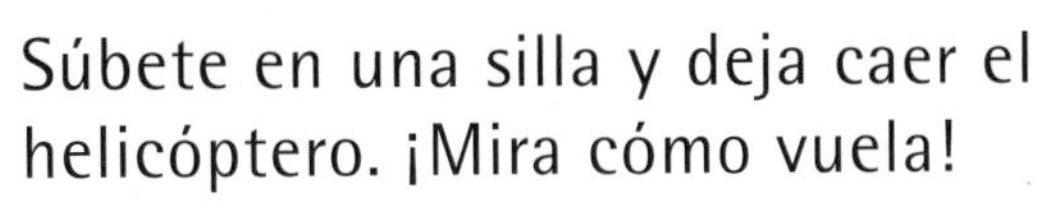

Súbete en una silla y deja caer el helicóptero. ¡Mira cómo vuela!

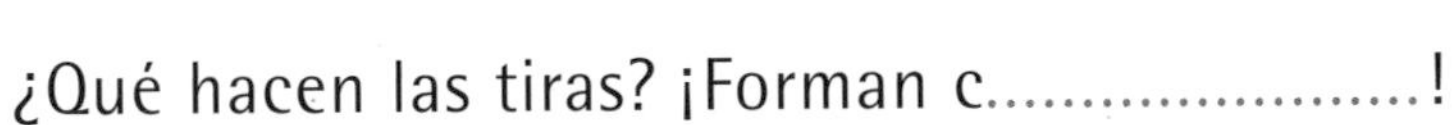

¿Qué hacen las tiras? ¡Forman c.......................!

5 Juega.

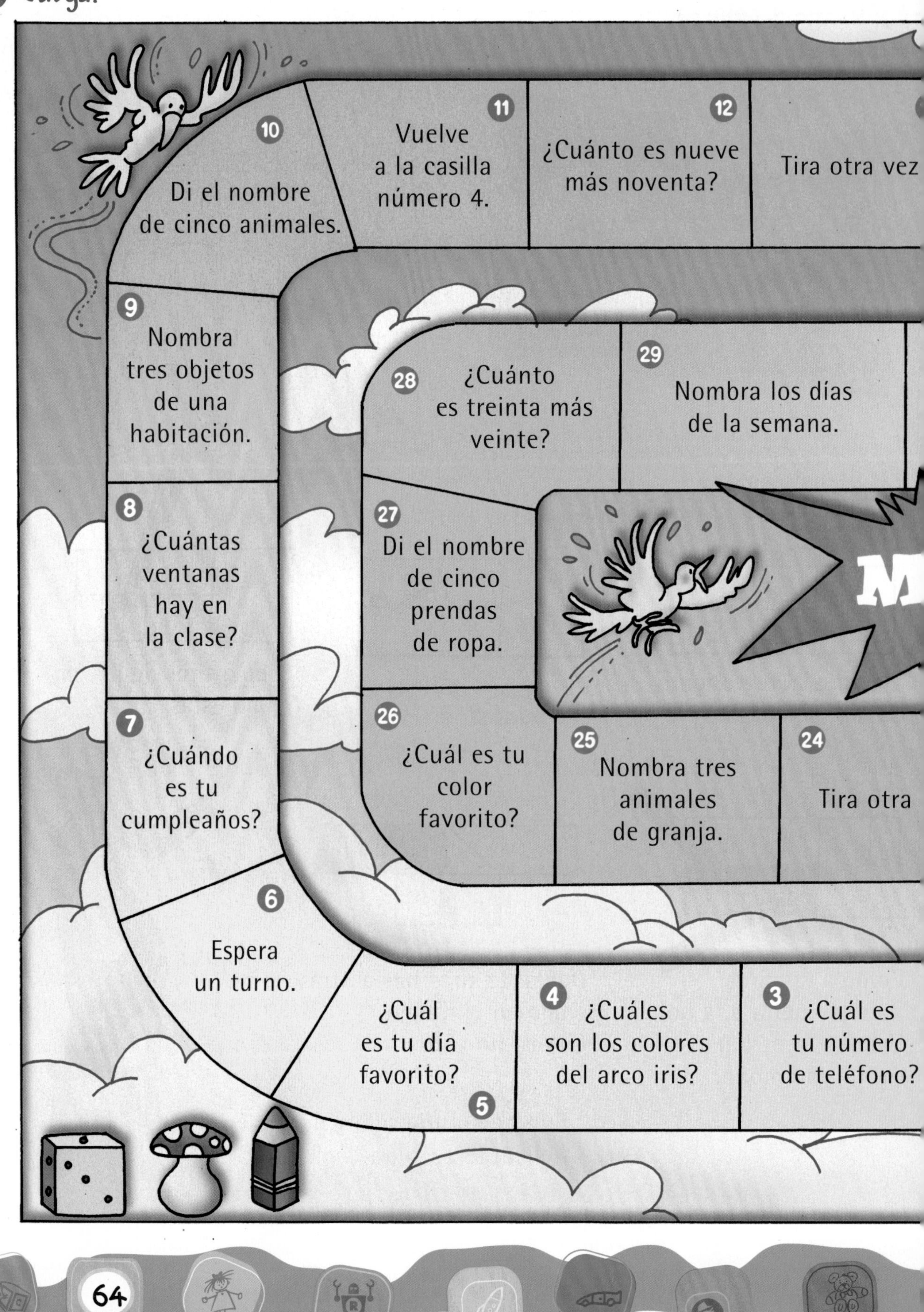

10
Di el nombre de cinco animales.
11
Vuelve a la casilla número 4.
12
¿Cuánto es nueve más noventa?
Tira otra vez
9
Nombra tres objetos de una habitación.
28
¿Cuánto es treinta más veinte?
29
Nombra los días de la semana.
8
¿Cuántas ventanas hay en la clase?
27
Di el nombre de cinco prendas de ropa.
7
¿Cuándo es tu cumpleaños?
26
¿Cuál es tu color favorito?
25
Nombra tres animales de granja.
24
Tira otra
6
Espera un turno.
5
¿Cuál es tu día favorito?
4
¿Cuáles son los colores del arco iris?
3
¿Cuál es tu número de teléfono?

14
Sabes nadar?
15
¿De qué color es tu mochila?
16
¿Cuántas chicas hay en tu clase?
17
Espera un turno.
18
¿Cuánto chicos hay en tu clase?
19
¿Sabes tocar el piano?
20
¿Cuánto es cincuenta más treinta?
21
Vuelve a la casilla número 12.
22
¿Cuál es tu comida favorita?
23
Di ocho colores.
to es veinte sesenta?
31
Espera un turno.
32
Vuelve a la casilla número 22.
33
Nombra los meses del año.
TA
SALIDA
1
¿Cuánto es veinte más veintidós?
ira otra vez.
OR

6 Niños de España e Hispanoamérica.

Hola, Me llamo Margarita y soy de Barcelona. Todos los niños españoles tenemos una fiesta de fin de curso en junio.

Aquí tenéis unas fotos de la última fiesta de mi colegio.

Cada clase hace un espectáculo musical o una pequeña obra de teatro.

También podemos beber y comer gratis y los profesores son los camareros.

Y por supuesto, también jugamos. Aquí tenéis algunas fotos.

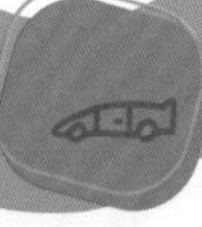

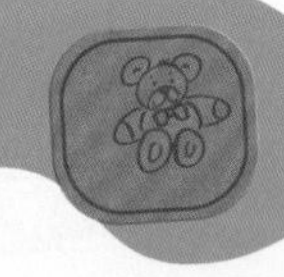

Tengo carta

Tú eres el cartero.
Los otros se encuentran enfrente de ti a una distancia de 10 metros, por ejemplo.

Procedemos de la siguiente manera:

Cartero:	Tengo carta.
Niños:	¿Para quién?
Cartero:	Para, para... Antonio.
Antonio:	¿De quién?
Cartero:	Del pato (pa-to = 2 pasos)

El cartero va nombrando a todos los niños hasta que uno de ellos llegue a su lugar. Éste será el ganador y será el nuevo cartero.

Mago campanero

Un niño es el mago y piensa en un color. Los niños le preguntan: "Mago campanero, ¿de qué color es tu sombrero?"
El mago dice:
"De color, color... ¡verde!"

Todos corren para tocar una cosa de color verde. El primero en tocar algo verde se convierte en mago y comenzamos de nuevo.

El escondite

Tù eres el "guardiàn de la casa" (puede ser un àrbol). Te colocas en la casa con los ojos cerrados y cuentas hasta 20.
Mientras, los demàs se esconden.
Cuando terminas de contar, vas a buscarlos.
Si encuentra a un niño, los dos corréis hacia la casa; si tù llegas primero y dices su nombre, el niño pierde y serà el seguiente guardiàn.
Si no llegas antes, ¡sigue buscando!

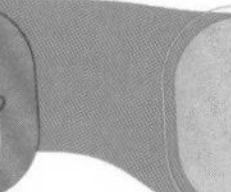

10
Vacaciones

1 Niños de España hablan de sus vacaciones.

Esta es Lisa, es de Málaga.

Este es Antonio, es de Madrid.

Hola, este año vamos de vacaciones a Madrid. Vamos a visitar el Museo del Prado y la Puerta del Sol.

Hola, nosotros vamos a ir a Málaga, a la Costa del Sol, voy a estar todo el día en la playa. También vamos a visitar el Museo Picasso.

Estas son Carmen y su hermana Luisa, de Salamanca.

Este es Raúl, de Barcelona.

Este año vamos de vacaciones a los Pirineos. Vamos a vivir en una casa en las montañas porque a mi familia y a mí nos gusta mucho la naturaleza.

Hola, nosotras vamos de vacaciones a Barcelona. Vamos a visitar La Sagrada Familia y Las Ramblas, un paseo donde venden muchas flores.

1

3

2

4

2 Escucha y canta la canción.

La fiesta de verano de los animales

Esta noche hay una fiesta,
la luna está brillando.
Esta noche hay una fiesta
y todos están bailando.

La gata y el gato
en la piscina se están bañando.
El león y el pato
un rock and roll están bailando.

El hipopótamo y zorro
un refresco están bebiendo.
El cerdo y la serpiente
un pastel están comiendo.

La vaca Margarita dice:
¡Muuu, qué fiesta más bonita!
La pequeña ovejita
sueña con ser una princesita.

Y todos muy bien
se lo están pasando.

10 Vacaciones

3 Adivina qué están haciendo los siguientes niños. Mira las frases del cuadro. Escríbelas en su lugar correspondiente.

~~pintando un cuadro~~ – montando en bicicleta – jugando al ping pong – nadando – jugando al fútbol – montando a caballo – comiendo pizza

Aitor está *...pintando un cuadro...*

Carolina está ....

Alicia está ....

Federico está ....

Álvaro y Margarita están ....

Antonio y Juan están ....

Sergio está ....

4 Recorta las imágenes de la página 95 y pégalas en la actividad 3.

5 Tapa con una mano los dibujos de la página 70.
¿Te acuerdas de lo que estaban haciendo los niños?
Lee estas frases: ¿son verdaderas o falsas?

	V	F
Álvaro y Margarita estaban jugando al fútbol.	○	○
Antonio y Juan estaban jugando al ping pong.	○	○
Carolina estaba comiendo pizza.	○	○
Sergio estaba montando en bicicleta.	○	○
Aitor estaba nadando.	○	○
Alicia estaba montando a caballo.	○	○
Federico estaba pintando un cuadro.	○	○

¡Adivina qué estoy haciendo!

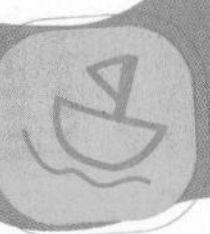

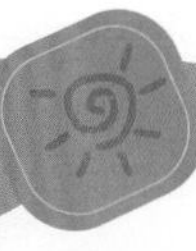

10 Vacaciones

6 Una historia. *El monstruo.*

Una semana después el ratón y el hámster vuelven a casa.

¿Qué ven?

En el cuarto de baño...

En el dormitorio...

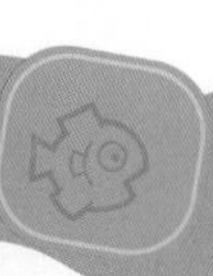

¿Quién es? Mira la página 93 para saber la respuesta.

3
Unidad de revisión

1 Completa las palabras.

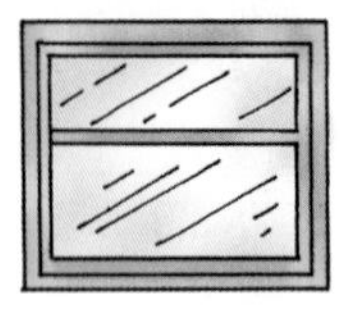

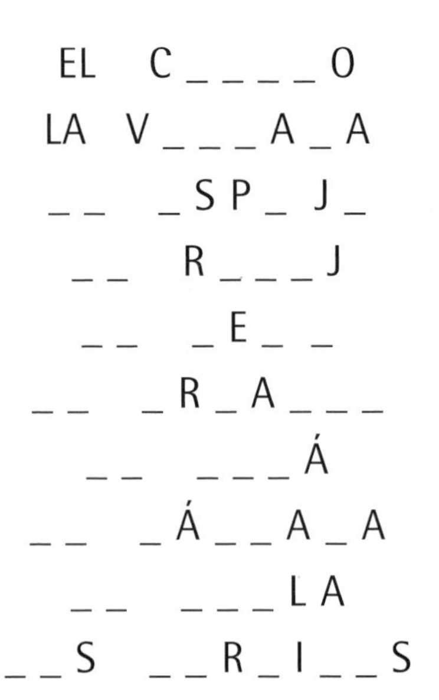

EL C _ _ _ _ O

LA V _ _ _ A _ A

_ _ _ S P _ J _

_ _ R _ _ _ J

_ _ _ E _ _

_ _ _ R _ A _ _ _

_ _ _ _ _ Á

_ _ _ Á _ _ A _ A

_ _ _ _ _ L A

_ _ S _ _ R _ I _ _ S

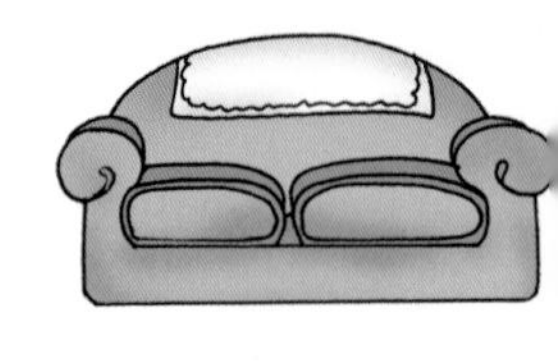

2 Lee estas frases: ¿son verdaderas o falsas? Corrige las frases falsas y escríbelas.

	V	F
Hay un casco encima del televisor.		
Hay unas zapatillas de deporte detrás del espejo.		
Hay unos calcetines encima del televisor.		
Hay una camiseta encima de la silla.		
Hay una chaqueta debajo del sofá.		
Hay unos pantalones delante de la mesa.		

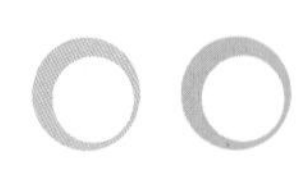

3 Lee y completa con un número.

- ◯ Vale. Aquí tiene.
- ◯ Gracias.
- (1) ¿Cuánto cuesta la lámpara?
- ◯ Cinco monedas de oro.
- ◯ Lo siento, no puedo vendértelo.
- ◯ ¿Cuánto cuesta el sofá?

4 Señala el dibujo correcto.

 ☐ 3 triángulos azules y 3 círculos rojos ☐ 

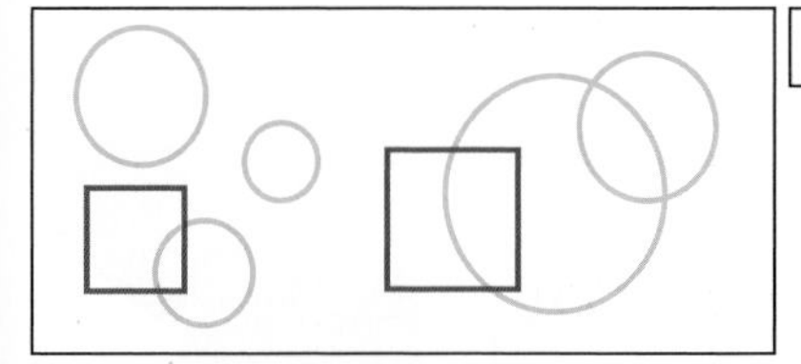 ☐ 2 cuadrados verdes y 5 círculos rosas. ☐ 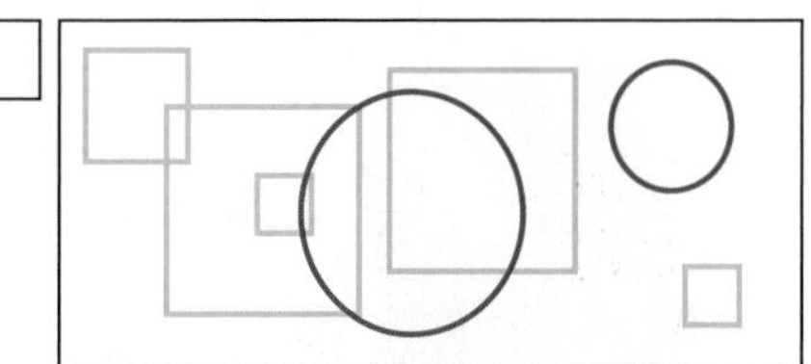

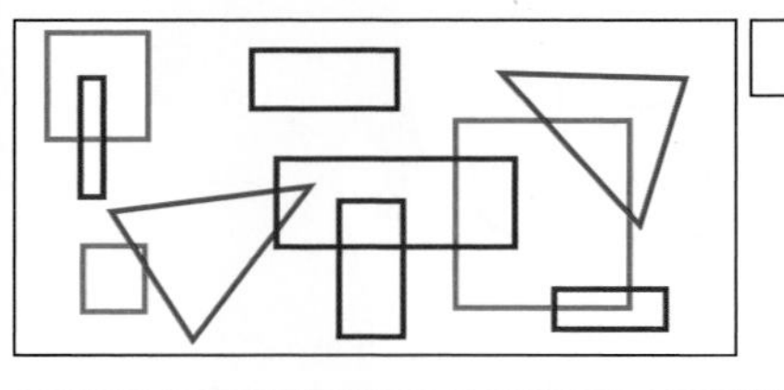 ☐ 5 rectángulos azules, 3 círculos rojos y 2 triángulos azules. ☐ 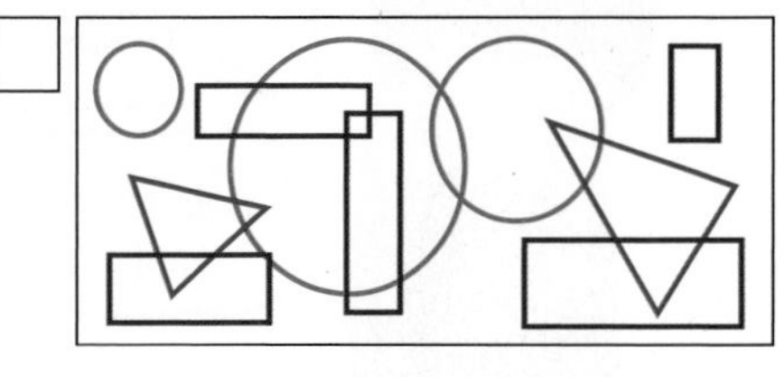

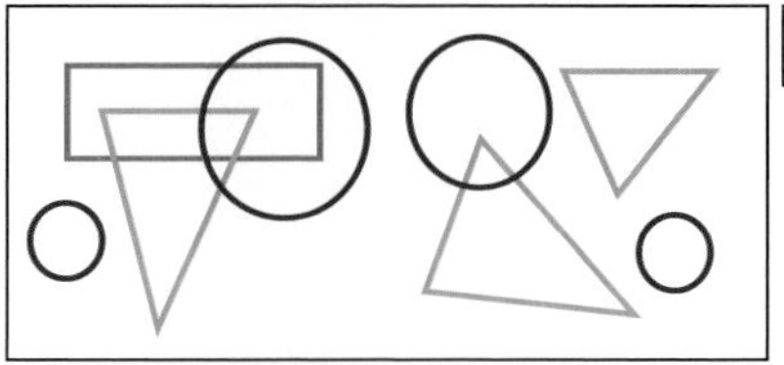 ☐ 3 triángulos naranjas, 5 círculos azules, 1 cuadrado rojo. ☐ 

3 Unidad de revisión

5 ¿Qué palabra no es de la misma familia? Táchala.

la pizarra	la silla	la ventana	el gato	la mesa	la puerta
dentro de	diecisiete	encima de	debajo de	detrás de	delante de
doce	cuarenta	negro	trece	ochenta	dieciséis
el jersey	la chaqueta	los zapatos	la camiseta	los calcetines	la foto
esquiar	nadar	correr	jugar al fútbol	la cabeza	patinar
el zorro	el lobo	la hierba	el león	el hipopótamo	la oveja

6 Une preguntas y respuestas.

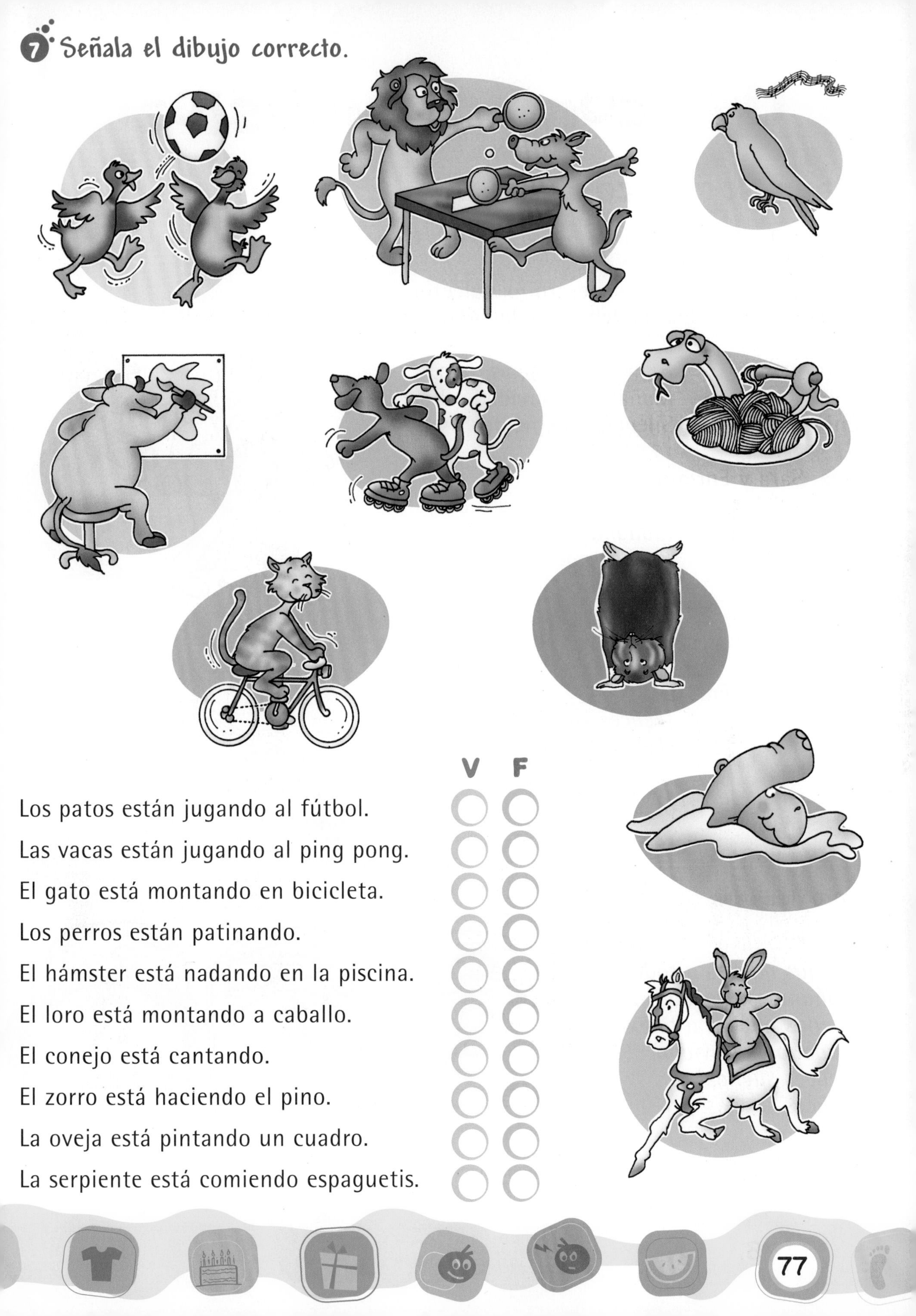

7 Señala el dibujo correcto.

	V	F
Los patos están jugando al fútbol.	○	○
Las vacas están jugando al ping pong.	○	○
El gato está montando en bicicleta.	○	○
Los perros están patinando.	○	○
El hámster está nadando en la piscina.	○	○
El loro está montando a caballo.	○	○
El conejo está cantando.	○	○
El zorro está haciendo el pino.	○	○
La oveja está pintando un cuadro.	○	○
La serpiente está comiendo espaguetis.	○	○

Una comedia musical

Papá Noel necesita ayuda

Escena 1: (Ana, Sara y Enrique se van a la cama. Están en pijama).

Enrique: No encuentro mi calcetín.
Ana: Está debajo de la cama.
Sara: ¡Chicos!
Enrique: Aquí está. Gracias, Ana.
Sara: Mañana es Navidad. ¡Bieeeeeen!
Enrique: Silencio, por favor.

Ana, Sara y Enrique:

Buenas noches a todos,
mañana es Navidad.
Buenas noches a todos
mañana es Navidad.

(Los niños se acuestan y ponen los calcetines a los pies de sus camas).

Ana, Sara y Enrique:

¡Felices sueños!
¡Felices sueños!
¡Felices sueños!

Coro: (entrando)

Buenas noches a todos,
mañana es Navidad.
Buenas noches a todos,
mañana es Navidad.
¡Felices sueños!
¡Felices sueños!

(El coro de niños se va y los chicos apagan las luces y se duermen).

Escena 2: (Sara se levanta. Va a los pies de su cama. Se cae. Ana y Enrique se despiertan).

Ana: ¿Qué pasa?
Sara: Lo siento.
Ana: Acuéstate.
Enrique: ¡Chicas!

(Los chicos vuelven a dormirse. Papá Noel entra, cargando con un saco lleno de regalos. Saca tres juguetes y pone uno en cada calcetín).

Papá Noel: ¡Achiiiiiís, Achiiiiiiís!
Ana, Sara, Enrique: ¿Qué pasa?
Enrique: Enciende la luz, Ana.
Papá Noel: Lo siento, ¡os he despertado! Soy Papá Noel.
Sara: Hola, Papá Noel. Me llamo Sara.
Ana: Hola, yo soy Ana.
Enrique: Y yo me llamo Enrique.
Papá Noel: ¡Achiiiiiís, Achiiiiiiís!.
Ana: ¿Estás resfriado?
Papá Noel: Sí. ¡Achiiiiiís, Achiiiiiiís!
Enrique y Ana: ¡Jesús!
Sara: ¿Quieres un vaso de leche caliente, Papá Noel?
Papá Noel: ¡Oh, sí!, por favor.
Enrique: Voy a preparártelo. (Sale del dormitorio).

Niños del coro:
¡Oh! Papá Noel,
pobre Papá Noel
¡Oh! Papá Noel,
pobre Papá Noel
está resfriado, está resfriado.

Papá Noel: ¡Achiiiiiísss, achiiiiiís

Niños del coro:
¡Oh! Papá Noel,
pobre Papá Noel,
está resfriado, está resfriado.
¡Oh! Papá Noel,
pobre Papá Noel,
está muy cansado,
está muy cansado.

(Papá Noel se duerme. Enrique entra con un vaso de leche y unas galletas).

Enrique, Ana, Sara y los niños del coro:

Despierta, despierta
toma una galleta.
despierta, despierta
toma un vaso caliente de leche.
Despierta, despierta
toma una galleta.
Despierta, despierta
toma un vaso caliente de leche.

¡Oh, sí, sí, sí, toma una rica galleta!
¡Oh, sí, sí, sí y límpiate el bigote con una servilleta!

(Papá Noel se despierta. Enrique le ofrece el vaso de leche).

Papá Noel: ¡Oh, estupendo! Gracias. ¡Achiiiiiís, Achiiiiiiís!
Enrique, Sara, Ana: ¡Jesús!
Papá Noel: ¡Ahhhhhh! Estoy tan cansado... ¡Pero, mirad! Tengo que llevar esos regalos a los niños de la granja. Los llevaré más tarde. ¡Achiiiiiís, Achiiiiiiís!
Enrique, Ana y Sara: ¡Jesús!

(Papá Noel se duerme otra vez).

Ana: Tengo una idea. Vamos a ayudarlo.
Enrique: Sí. Coge los regalos de la granja.
Sara: Pero, ¿cómo vamos a entrar?
Ana: Por la chimenea.
Enrique: ¡Genial! Voy a por la escalera.

(Los niños salen)

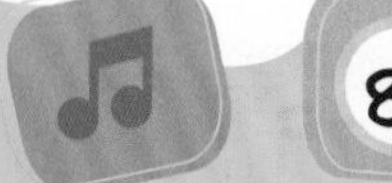

Escena 3 (Los padres de los niños entran)

Madre: ¿Quién eres?
Papá Noel: Soy Papá Noel.
Padre: ¿Dónde están los niños?
Papá Noel: Uhmm... uhmm...
No lo sé. ¿Dónde están?
Padre: ¡Escuchad!
Papá Noel: ¡Achiiiiiís, Achiiiiiiís!
Madre: ¡Silencio!
Papá Noel: Lo siento.

(Se abre la puerta. Los niños entran. Sus caras está sucias. El padre, la madre y Papá Noel se asustan).

Papá Noel: ¡Socorro, socorro!
Ana: Tranquilo, Papá Noel, somos nosotros. Estamos sucios porque venimos de la granja.
Papá Noel: ¡Oh, muchas gracias! Entonces, los regalos ya está repartidos. Gracias. Ahora ya puedo volver a casa.

Todos:
Feliz Navidad, feliz Navidad
a todos los niños y niñas del Mundo.
Feliz Navidad, feliz Navidad
a todos los niños y niñas del Mundo.

El coro y los niños:
Feliz Navidad
querido Papá Noel,
gracias por los regalos.

Papá Noel:
Feliz Navidad, feliz Navidad,
madres, padres, niños y niñas.

Todos:
Feliz Navidad, feliz Navidad
a todos los niños y niñas del Mundo.
Feliz Navidad, feliz Navidad
a todos los niños y niñas del Mundo.
Feliz Navidad, feliz Navidad
mucho amor y paz.

Una obra de teatro

Una pizza para la abuelita.

PERSONAJES:

Caperucita Roja	Su hermana	El lobo	El policía	La abuelita

Escena 1: (Las dos niñas caminan hablando por un bosque).

Hermana: Oh, estoy cansada.
Caperucita Roja: Vamos, la abuelita tiene hambre.
Lobo: ¡Alto!
Niñas: ¡Aaaaaaaah!
Lobo: ¿Cómo te llamas?
Caperucita: Caperucita Roja.
Lobo: ¿Y tú?
Hermana: Yo.... mmm...
Caperucita: Es mi hermana.
Lobo: ¿Qué hay en la cesta?
Hermana: Una caja.
Lobo: Ah, y... ¿qué hay en la caja?
Caperucita: Una pizza para mi abuelita.
Lobo: Mmmmmm... perfecto. Una pizza para la abuelita. Maravilloso. Dadme la pizza.
Las niñas: Toma.

(Las dos niñas corren por el camino).

Lobo: Ñam, ñam, ñam. Me encanta la pizza. Mmm... ¡buenísima! (El lobo se come la pizza) ¡Aaaah! Estoy cansado. (Se echa a dormir)

Escena 2: (Las niñas llaman a la Policía).

Caperucita: Hola, me llamo Caperucita Roja.
¡Ayúdenos, por favor!
Policía: Voy en seguida.

Policía: Hola.
Niñas: Hola. Ayúdenos, por favor.
Policía: ¿Qué pasa?
Hermana: El lobo tiene la pizza de mi abuelita.
Policía: Ajáaaa. El lobo tiene la pizza de la abuelita.
Vamos a buscar al lobo.
Hermana: Estoy muy asustada.
Caperucita: ¡Tranquila!

(Encuentran al lobo).

Policía: Dame la pizza.
Lobo: ¿La pizza? La pizza está aquí.

Policía: ¡Ven conmigo!
Lobo: ¡Vale, vale!

(Los cuatro se van).

Escena 3: (En una cocina)

POLICÍA: Aquí tienes. ¡Deprisa!
LOBO: ¡Vale, vale!

POLICÍA: Aquí tenéis.
NIÑAS: Gracias, muchas gracias.
POLICÍA: De nada, niñas.
NIÑAS: Adiós.
LOBO: ¡Puuf!

Escena 4: (La abuelita y las niñas están en la casa de la abuelita. Están comiendo pizza)

ABUELITA: Mmmm, ¡qué pizza tan buena!
"Tengo más hambre que un lobo".
NIÑAS: ¡Ja, ja, ja!

El alfabeto español

1 Completa las palabras y ordénalas con un número.

Vocabulario

Unidad preliminar

¡Nos vemos de nuevo! ....
Bienvenidos: ....
mueve las piernas: ....
mueve los brazos ....
toca las palmas ....
tócate los dedos de los pies ....

Unidad 1 - En clase

Abrid vuestros libros: ....
Buena idea ....
cortinas ....
debajo de ....
delante de ....
dentro de ....
detrás de ....
encima de ....
estuche ....
lámpara ....
lápices ....
Me toca a mí ....
mesa ....
pizarra ....
ponla ....
puerta ....
rana ....
silla ....
suelo ....
ventana ....

Unidad 2 - Los números

almorzar: ....
aquí tiene ....
bollitos ....
cacao ....
cenar ....
céntimo ....
chocolate ....
desayunar ....
dinero ....
dos pares de ....
euro ....
galletas ....
merendar ....
por la tarde ....
suma ....
tableta de chocolate ....
un par de ....
vaso de leche ....

Unidad 3 - El colegio

asignaturas: ....
cartel ....
ciencias ....
comida ....
De camino a la escuela ....
educación física ....
educación plástica ....
encadenado ....
Estoy en 4º ....
estúpido ....
Fuera de aquí ....
geografía e Historia ....
hombre ....
inglés ....
lengua ....
matemáticas ....
música ....
Pobre perro ....
Recreo ....
Religión ....
Soy Rosa y le llamo para... ....
Sube ....
Tercera hora ....
Toma ....
Un saludo ....

Vocabulario

Unidad 4 - Tiempo libre

arco y flechas: ....
eres el mejor: ....
esquiar ....
hacer el pino ....
jugar al fútbol ....
jugar al tenis ....
montar a caballo ....
nadar ....
nadie..........
parque ....
patinar ....
pato ....
primero las chicas ....
¿sabes nadar? ....
sabe tocar el piano ....
saber..........
tocar el piano..........
todos ....

Unidad 5 - ¿Qué hora es?

está a los pies de las escaleras..........
esta es la casa ....
hay alguien en el cuarto de baño ....
hora de irse a la cama ....
medianoche ....
¿qué es eso? ....
reloj ....
tengo una idea..........
vamos a la cama ....
yo no veo a nadie ....

Unidad 6 - Los amigos

cinta adhesiva:..........
cintas: ....
¿eso es todo?:..........
mi mejor amiga ....
mi mejor amigo ....
¡no seas tonta!: ....
nudo ....
paella ....
payaso ....
practicar deporte..........
pulsera ....
¿qué te pasa? ....
regálale ....
tiene nueve años ....
tijeras ....
trenza ....
¿va todo bien? ....
¿vienes a mi casa esta tarde?..........
voy a ir a casa de Diana ....

Unidad 7- Los animales

¡basta!:..........
cerdo: ....
cerrad los ojos:..........
cesta ....
después nos comes ....
enseñarme..........
enseñarte..........
eso está mucho mejor ....
gallina ....
granja..........
hermoso..........
hierba..........
hipopótamo ....
la puerta está abierta..........
lobo..........
me encanta vuestra música ....
nos vemos mañana ....
otros animales ....
oveja..........
pájaro ....
patas..........
pato ....
¿preparado? ....

Vocabulario

¡qué cerdito más hermoso! ....
serpiente ....
tengo hambre ....
tocar la guitarra ....
una oportunidad ....
una última canción ....
vaca ....
volar ....
zorro ....

Unidad 8 - Mi habitación

abeja: ....
armario: ....
cortinas: ....
cuadro: ....
das un salto: ....
es muy bonito ....
espejo ....
jarrón ....
lámpara ....
monedas ....
no puedo vendértelo ....
¿nos devuelve el dinero? ....
oro ....
patines ....
¡qué reloj tan bonito! ....
silla ....
sofá ....
suelo ....
vamos a devolverlo ....
vender ....

Unidad 9 - ¡A jugar!

barriga: ....
caja: ....
caja de chocolatinas: ....
cajón ....
camareros ....
cartero ....
casilla ....
centímetro (cm.) ....
círculos ....
coloca ....
comenzamos de nuevo ....
cuadrados ....
¿de quién? ....
dobla ....
el deseo de mi vida ....
espectáculo musical ....
extremos ....
fiesta de fin de curso ....
gratis ....
helicóptero ....
juegos ....
jugar ....
lanzar el balón ....
meta ....
¡mira como vuela! ....
nombra ....
obra de teatro ....
¿para quién? ....
podemos beber ....
podemos comer ....
por supuesto ....
recorta ....
serpientes ....
súbete ....
tengo carta ....
tira otra vez ....
tocar con el balón ....
triángulos ....
zapatillas de deporte ....

Unidad 10 - Vacaciones

¡ayuda!: ....
bañera: ....
cantando: ....

Vocabulario

casco: ....
cocodrilo ....
comiendo..
cuarto de baño ....
dormitorio..
está bañándose ....
estar todo el día en la playa...................................
flores ....
haciendo el pino ....
hogar, dulce hogar ....
jugando al fútbol ....
lavando los platos..
montando a caballo ....
montañas..
nadando...
naturaleza ....
paseo ....
pintando un cuadro ....
playa...
¿qué hacemos?...
¡qué tengáis buenas vacaciones!.................................
¿quién es? ....
¿quién llama a la puerta? ....
¡socorro! ....
televisor...
vamos a visitar el museo..
vamos de vacaciones ....
viendo la televisión..

Una comedia musical

una obra de teatro ....
una pizza para la abuelita. ....
¡alto!: ....
ayúdenos: ....
bosque: ....
¡buenísima!: ....
caminan: ....
dadme la pizza..
dame..
¡deprisa!...
estoy muy asustada ....
perfecto..
tengo más hambre que un lobo....................................
toma..
¡tranquila!: ....
vamos a buscar al lobo ....
ven conmigo...
voy enseguida ....

Apéndice

Unidad 1, 2.

Recorta las piezas del puzzle y pégalas en el recuadro de la página 6.

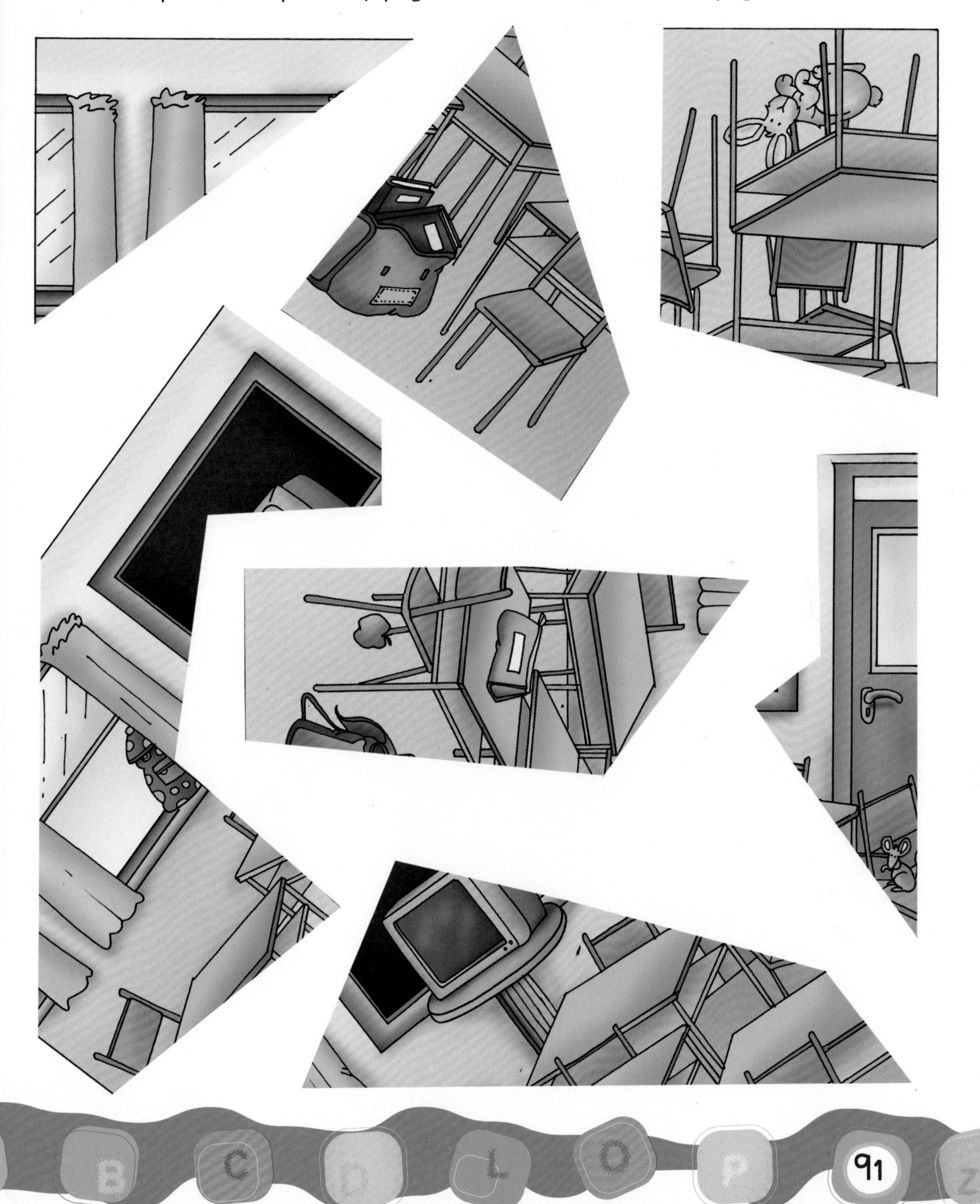

Apéndice

Unidad 1, 9. La rana. Final de la historia.

Recorta las piezas del puzzle y pégalas en el recuadro de la página 11.

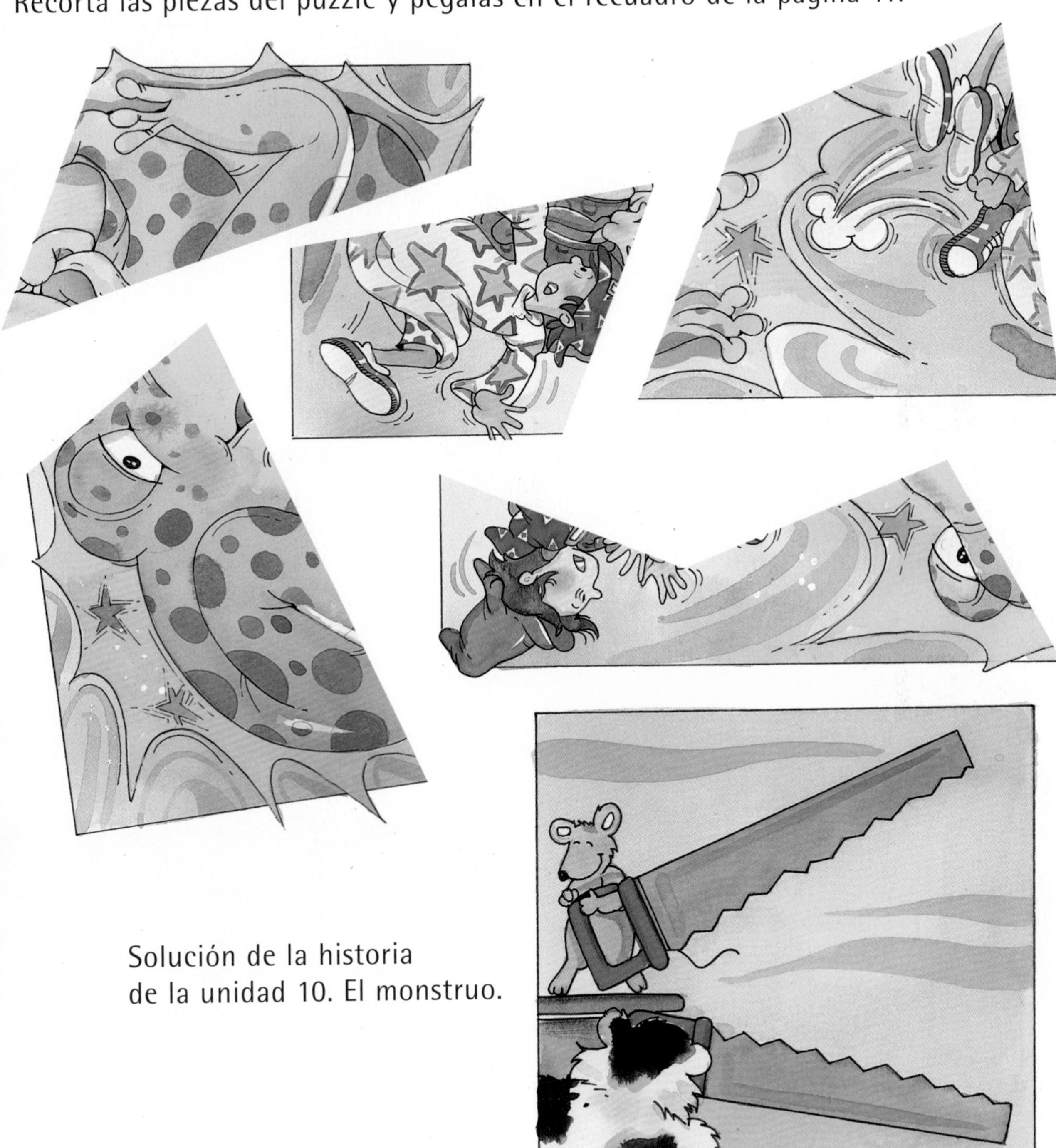

Solución de la historia
de la unidad 10. El monstruo.

Apéndice

Unidad 9, 4. El helicóptero.

Unidad 10, 3.

Recorta las imágenes y pégalas en su lugar correspondiente (página 70).

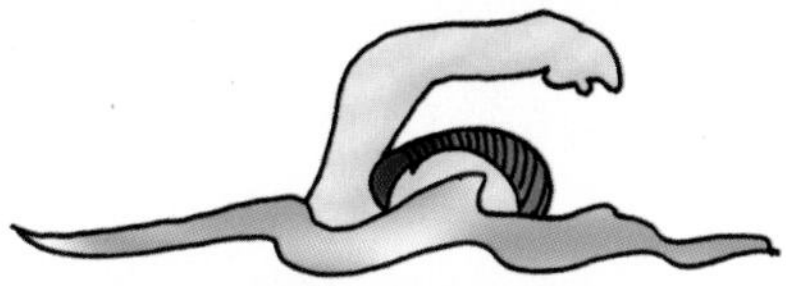